世界名詩選集 / 워 즈 워 드

SEO MUN DANG'S
SCENTED TREASURY
OF WORLD POETRY
AND
FINE ART

世界名詩選集/김재현 譯

워즈워드

瑞文堂

워즈워드 차 례

I. 내 가슴 설레이고

II. 고독한 처녀의 노래

III. 정말, 그대는 아름다워

워즈워드 —— 원시(原詩) / 차 례

Ⅰ. 내 가슴 설레이고

내 가슴 설레이고

하늘의 무지개 바라보면
내 가슴 설레이고
어릴 때에도
어른된 지금에도
늙어서도 그러하려니.
아니면 목숨은 죽은 것!
어린애는 어른의 아버지.
나의 여생, 자연의 경건(敬虔)속에
어울려 살고파.

MY HEART LEAPS UP

My heart leaps up when I behold
A rainbow in the sky:
So was it when my life began;
So is it now I am a man;
So be it when I shall grow old,
Or let me die!
The Child is father of the Man;
And I could wish my days to be
Bound each to each by natural piety.

나비에게 1

반 시간 족히 난 널 바라보고 있다
저 노란 꽃 위에 사뿐히 앉아 있는 너를
몸집이 이렇게도 작은 나비야! 정녕
알 길이 없구나, 넌 잠자는지 먹이를 먹는지.
꼼짝하지 않는 양, 얼어붙은 바다보다
더 하구나! 이윽고
환희(歡喜)는 너를 기다리노니
산들바람이 나무에 앉은 너를 찾아
다시 너를 불러낼 때!

이 과수원 밭은 우리의 터
나무는 내 것, 꽃은 누이의 것
넌 지친 날개를 이 곳에서 접고
성소(聖所)를 찾듯 휴식하는구나!
가끔씩 들러 다오, 너를 해칠 이 없으니.
우리들 곁의 가지 위에 앉아 보렴!
함께 햇빛과 노래와 여름날을
이야기 하자꾸나, 우리 젊은 날에
즐거웠던 어린 시절은 지금보다
몇 십갑절 길었나니.

TO A BUTTERFLY I

I've watched you now a full half-hour,
Self-poised upon that yellow flower;
And, little Butterfly! indeed
I know not if you sleep or feed.
How motionless!—not frozen seas
More motionless! and then
What joy awaits you, when the breeze
Hath found you out among the trees,
And calls you forth again!

This plot of orchard-ground is ours;
My trees they are, my Sister's flowers;
Here rest your wings when they are weary;
Here lodge as in a sanctuary!
Come often to us, fear no wrong;
Sit near us on the bough!
We'll talk of sunshine and of song,
And summer days, when we were young;
Sweet childish days, that were as long
As twenty days are now.

나비에게 2

내 곁에 있어 다오——날아가지 말고!
잠시만 더 내 시야에 머물러 다오!
내 어린 시절의 산증인(證人)이여,
네게 얽힌 사연도 많구나
내 곁에 날아오렴. 떠나지는 말고!
사라진 시간은 네 속에 되살아나니
환희의 날짐승인 너는
내 가슴, 우리 가족에게
근엄한 모습을 안겨주는구나.

아! 즐겁고 즐겁던 시절
내 뛰놀던 어린 시절
누이 엠린과 같이
나비를 쫓던 그 시절.
사냥꾼이 먹이를 덮치듯——
나는 껑충껑충 뛰면서
덤불과 숲을 헤치고 나비를 쫓았지
하지만 누이는, 신(神)의 축복을 받아야 해!
나비 날개의 분가루 떨어질까봐 애를 태운 걸.

TO A BUTTERFLY II

Stay near me—do not take thy flight!
A little longer stay in sight!
Much converse do I find in thee,
Historian of my infancy!
Float near me; do not yet depart!
Dead times revive in thee:
Thou bring'st, gay creature as thou art!
A solemn image to my heart,
My father's family!

Oh! pleasant, pleasant were the days,
The time, when in our childish plays,
My sister Emmeline and I
Together chased the butterfly!
A very hunter did I rush
Upon the prey;—with leaps and springs
I followed on from brake to bush;
But she, God love her! feared to brush
The dust from off its wings.

뻐꾸기에게

오 즐거운 새 손님이여! 들어 보았던 네 목소리,
지금 들으니 기쁘기 한량없구나.
오 뻐꾸기여! 내 널 불러 「새」라 하나,
아니면 헤매는 「목소리」라 해야 하나?

풀 위에 누워 있노라면
너의 겹소리 들리는구나.
언덕과 언덕을 스치는 듯하고
동시에 멀어졌다가 가까워지네.

햇빛과 꽃 이야기
골짜기에서만 재잘거리면서도
넌 내게 가져다 주노니
꿈결 같은 시절의 이야기를.

반갑고 반가울 손 봄의 총아(寵兒)여!
아직도 넌 내게는
새가 아니라 눈에 보이지 않는 대상,
목소리요, 신비(神祕)어라.

국민학교 시절 들어 보던
바로 그 목소리. 숲과 나무와
하늘 온갖 곳을 내 찾아
헤매게 하던 그 「울음소리」.

너를 찾아 나는 자주 헤매었나니
숲을 헤쳐지나 푸른 초원에서.
그리고 넌 언제나 희망이요 사랑으로
늘 그리움의 대상이나 결코 보이지 않는 대상이었지.

나는 지금도 네 소리에 귀를 기울일 수 있어
들녘에 누워서
귀를 기울이노라면
저 황금의 시간이 다시 찾아오나니.

오 축복받은 새여! 우리가 거니는
대지(大地)는 다시금
환상적인 선경(仙境)으로 보이나니
바로 네게 어울리는 집으로!

TO THE CUCKOO

O blithe New-comer! I have heard,
I hear thee and rejoice.
O Cuckoo! shall I call thee Bird,
Or but a wandering Voice?

While I am lying on the grass
Thy twofold shout I hear;
From hill to hill it seems to pass
At once far off, and near.

Though babbling only to the Vale,
Of sunshine and of flowers,
Thou bringest unto me a tale
Of visionary hours.

Thrice welcome, darling of the Spring!
Even yet thou art to me
No bird, but an invisible thing,
A voice, a mystery;

The same whom in my schoolboy days
I listened to; that Cry
Which made me look a thousand ways
In bush, and tree, and sky.

To seek thee did I often rove
Through woods and on the green;
And thou wert still a hope, a love;
Still longed for, never seen.

And I can listen to thee yet;
Can lie upon the plain
And listen, till I do beget
That golden time again.

O blessed Bird! the earth we pace
Again appears to be
An unsubstantial, faery place;
That is fit home for Thee!

만일 이 큰 세계가…

만일 기쁨과 아픔의
이 큰 세계가 한 궤적(軌跡)을 맴돈다면
만일 자유(自由)가 저물어서 다시 솟아난다면
그래서 날아간 미덕(美德) 되돌아온다면
나날을 수심(愁心)으로 마음을 채우는
반(半) 소경의 나그네
과거와 미래에서 참고 견디는 힘
얻지 못하면 화가 미칠진저.

IF THIS GREAT WORLD…

If this great world of joy and pain
Revolve in one sure track;
If freedom, set, will rise again,
And virtue, flown, come back;
Woe to the purblind crew who fill
The heart with each day's care;
Nor gain, from past or future, skill
To bear, and to forbear!

3월의 시(詩)

수탉은 꼬끼오
시냇물은 졸졸
작은 새들은 짹짹
호수는 번쩍번쩍
푸른 들판은 햇볕에 조을고.
늙은이와 어린 아이
힘센 자와 같이 일을 하네
소들은 풀을 뜯으며
고개 한 번 쳐들지 않네
마흔 마리가 한 마리같이!

패한 군사들처럼
흰눈은 물러가고
헐벗은 언덕 위에서 쩔쩔매네.
소년농부——이따금——
환호성을 올리고
산에는 기쁨이
샘물에는 숨결이
조각구름은 떠가고
푸른하늘은 끝도 없어라
비는 그치고 간데 없네!

WRITTEN IN MARCH

The Cock is crowing,
The stream is flowing,
The small birds twitter,
The lake doth glitter,
The green field sleeps in the sun;
The oldest and youngest
Are at work with the strongest;
The cattle are grazing,
Their heads never raising;
There are forty feeding like one!

Like an army defeated
The snow hath retreated,
And now doth fare ill
One the top of the bare hill;
The Ploughboy is whooping—anon—anon:
There's joy in the mountains;
There's life in the fountains;
Small clouds are sailing,
Blue sky prevailing;
The rain is over and gone!

종달새에게

천상(天上)의 가객(歌客)이여! 하늘의 순례자여!
너는 괴로움이 득실거리는 땅을 멸시하는가?
아니면, 날개는 솟구쳐도 마음과 눈길은
이슬에 젖은 땅에 놓인 네 둥지와 함께 있는가?
떨리는 나래를 가누고 저 노래를 그쳐
내킨대로 내려와서 들 수 있는 둥지와.

아아라한 눈길로, 저 너머로
솟아올라라, 담대한 노랫꾼아. ——사랑을 피우는——
가락은(너와 너의 노래와는 구원의 인연)
들녘 가슴팍을 한없이 설레이게 한다.
하나, 새 움이 트는 봄과는 무관하게
노래하는 건 너의 자랑스런 특권인 것도 같구나.

그늘진 숲일랑은 두견(杜鵑)에게 맡겨라
찬란한 빛의 은밀한 곳은 너의 것
예서 너는 이 세상에 퍼붓는구나
보다 거룩한 본능으로 화음(和音)의 홍수를
솟구쳐 날아도 헤매이지 않는 현자(賢者)의 모습——
천국과 땅을 잇는 인연을 좇아.

TO A SKYLARK

Ethereal minstrel! pilgrim of the sky!
Dost thou despise the earth where cares abound?
Or while the wings aspire, are heart and eye
Both with thy nest upon the dewy ground?
Thy nest which thou canst drop into at will,
Those quivering wings composed, that music still!

To the last point of vision, and beyond
Mount daring warbler!—that love—prompted strain
——'Twixt thee and thine a never-failing bond——
Thrills not the less the bosom of the plain:
Yet might'st thou seem, proud privilge! to sing
All independent of the leafy Spring.

Leave to the nightingale her shady wood;
A privacy of glorious light is thine;
Whence thou dost pour upon the world a flood
Of harmony, with instinct more divine;
Type of the wise who soar, but never roam;
True to the kindred points of Heaven and Home!

잠은 내 넋을…

잠은 내 넋을 밀봉(密封)해 버려
내겐 인간의 두려움이 가셨네
그녀는 하나의 물질(物質)인듯
풍진(風塵) 세월의 손때를 느끼지 못했거니.

몸을 움직이지도, 힘도 없는 몸
듣지도 보지도 못한 그녀
바위와 돌과 나무와 함께
지구의 궤적(軌跡)에 따라 그냥 굴러갈 뿐.

A SLUMBER DID MY SPIRIT SEAL

A Slumber did my spirit seal;
I had no human fears:
She seemed a thing that could not feel
The touch of earthly years.

No motion has she now, no force;
She neither hears nor sees;
Rolled round in earth's diurnal course,
With rocks, and stones, and trees.

위대한 선인(先人)들

우리에겐 위대한 선인(先人)들이 있었나니,
지혜로운 글과 지혜로운 말을 하던.
고(故) 시드니, 마벨, 해링턴, 베인 2세(二世),
그리고 밀턴을 벗으로 섬긴 그 밖의 많은 분들.
이들 군자(君子)들은 행동과 이해를 겸했고
이들은 진정한 영광의 뜻을 알고 있었나니.

한 나라가 정당하게 영광의 빛을 내는 법을
온화한 관용 속이 아니라면 굽히지 않을
힘의 뜻을 일러 준 이들이었어라
이상도 하지, 불란서에서는 우리와 같은
위인들이 없었으니.
영원한 공허여! 무상한 변화여!
빼어난 저술(著述)도 법전(法典)도 없네
위대한 지도자며, 진로(進路)도 없네
마찬가지로 책이 없고 사람이 없고!

GREAT MEN HAVE BEEN AMONG US

Great men have been among us; hands that penned
And tongues that uttered wisdom—better none:
The later Sidney, Marvel, Harrington,
Young Vane, and others who called Milton friend.
These moralists could act and comprehend:
They knew how genuine glory was put on;

Taught us how rightfully a nation shone
In splendour: what strength was, that would not bend
But in magnanimous meekness. France, 'tis strange,
Hath brought forth no such souls as we had then.
Perpetual emptiness! unceasing change!
No single volume paramount, no code,
No master spirit, no determined road;
But equally a want of books and men!

아네모네 꽃에게

눈에 에워싸여 눈처럼 흰, 훨씬 강인한, 외로운 꽃이여,
난 다시 한 번 너 이마 숙이는 모습 보나니
불청객인 듯 남의 비위 거슬리게 안할 듯.
나날이 폭풍우 산마루에서 내리쳐
솟는 태양을 습격하고 평원을 덮쳐도
너는 반가운 손님, 그 언약보다 나은 친구처럼.
파란 눈의 5월 황금의 수선화가 만발한 이 곳,
부드러운 서풍과 대기에
그윽한 향기 담뿍 뿌리는 걸 보리
난 그때 겸손한 너의 아름다움 잊지 않으리라.
정숙한 아네모네여, 대담한 봄의 사자(使者)여,
속절없는 세월의 사색하는 선도자여 !

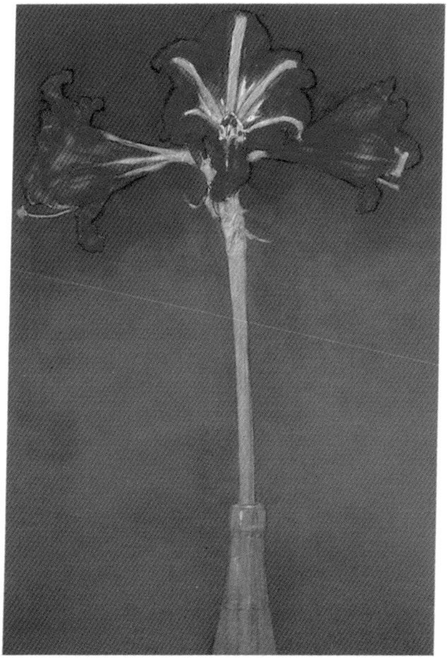

TO A SNOWDROP

Lone Flower, hemmed in with snows, and white as they
But hardier far, once more I see thee bend
Thy forehead as if fearful to offend,
Like an unbidden guest. Though day by day
Storms, sallying from the mountain-tops, waylay
The rising sun, and on the plains descend;
Yet art thou welcome, welcome as a friend
Whose zeal outruns his promise! Blue-eyed May
Shall soon behold this border thickly set
With bright jonquils, their odours lavishing
On the soft west-wind and his frolic peers;
Nor will I then thy modest grace forget,
Chaste Snowdrop, venturous harbinger of Spring,
And pensive monitor of fleeting years!

세상은 힘겨워라

세상은 힘겨워라, 밤낮 없이
벌고 쓰면서 우리는 모두들 힘을 소진(消盡)한다
눈이 있어도 보지 못하는 자아(自我)의 본질
값진 마음일랑 다 팽개쳐버렸으니, 비열한 축복이여!
달빛에 가슴팍을 들춰내는 이 바다,
마냥 울부짖다가 잠드는 꽃잎처럼
깃을 접는 바람,
이들과 모든 것에 조화를 잃어버린 우리들
무엇에나 감동을 느끼지 못한 우리. ――거룩한 신(神)이여!
내 차라리 낡은 신앙을 들이켜는 이교도(異教徒)가 되고파
그래서 이 환희의 초원에 서서
내 마음 허허롭지 않게 할 광경을 보고
바다에서 치솟는 프로테우스 신(神)을 보며
늙은 트라이턴이 꽃으로 엮은 소라나팔 부는 걸 듣게 되기를.

*프로테우스(*PROTEUS*): 그리스 신화에 나오는 늙은 해신(海神) 포세이돈의 종자(從者)로서 예언과 변신술에 능함.
*트라이턴(*TRITON*): 해신(海神) 포세이돈의 아들로 소라껍질을 나팔삼아 불어 파도를 일게 하거나 잠재우는 반인반어(半人半魚)의 신(神).

THE WORLD IS TOO MUCH WITH US

The world is too much with us; late and soon,
Getting and spending, we lay waste our powers:
Little we see in Nature that is ours;
We have given our hearts away, a sordid boon!
This Sea that bares her bosom to the moon;
The winds that will be howling at all hours,
And are up-gathered now like sleeping flowers;
For this, for everything, we are out of tune;
It moves us not.—Great God! I'd rather be
A Pagan suckled in a creed outworn;
So might I, standing on this pleasant lea,
Have glimpses that would make me less forlorn;
Have sight of Proteus rising from the sea;
Or hear old Triton blow his wreathed horn.

수선화(水仙花)

산과 골짜기 위를 둥실 떠가는
구름처럼 외로이 헤매다가
난 문득 보았네, 수없이 피어난
황금빛 수선화(水仙花)를.
호숫가, 나무아래
산들바람에 나부끼며 춤추는 모습을.

은하수에서 빛을 내며
반짝이는 무수한 별들처럼
갯가에 줄줄이
끝도 없이 늘어선 수선화
지천으로 피어 있네
머리를 젖히며 흥겹게 춤을 추네.

곁에서 물결도 춤을 추었다네,
하나 반짝이는 물결도 수선화보다 더할 수가 있나.
이같은 흥겨운 벗을 두고
시인은 기쁘기 그지 없어라.
난 바라보고——또 바라보았지만——미처 생각치
못했거니
이 광경이 얼마나 귀한 것인지.

가끔 멍하니, 아니면 생각에 잠겨
내 자리에 누우면
수선화들은 고독의 축복,
마음의 눈에 비추이노니.
그럼 내 마음은 기쁨에 넘쳐
수선화와 함께 춤을 추노니.

THE DAFFODILS

I wandered lonely as a cloud
That floats on high o'er vales and hills,
When all at once I saw a crowd,
A host, of golden daffodils;
Beside the lake, beneath the trees,
Fluttering and dancing in the breeze.

Continuous as the stars that shine
And twinkle on the milky way,
They stretched in never-ending line
Along the margin of a bay:
Ten thousand saw I at a glance,
Tossing their heads in sprightly dance.

The waves beside them danced; but they
Out-did the sparkling waves in glee:
A poet could not but be gay,
In such a jocund company:
I gazed—and gazed—but little thought
What wealth the show to me had brought:

For oft, when on my couch I lie
In vacant or in pensive mood,
They flash upon that inward eye
Which is the bliss of solitude;
And then my heart with pleasure fills,
And dances with the daffodils.

젊은 부인에게

——시골길을 오래 걸었다고 꾸중을 들은 부인에게——

자연의 총아여, 남들의 비난을 듣지 말지어다!
——푸른 골짜기엔 보금자리가 있네,
안식처가 있네, 피신처가 있네.
아내이자 친구인 그대 이 곳에 오면
옛날 가슴 설레이던 시절 보게 되리
그대 젊은 사람과 나이든 사람에게 빛이 되리.

이 곳에 오면, 목동처럼 건강하게
계절에 아랑곳하지 않고 시들지 않는——
환희의 꽃 속을 거닐면
그대, 아이들 품에 매달린 동안에도——
여인은 얼마나 거룩한 소재로
빚어지는가를 보여주려니.

그대의 생각과 느낌은 가시지 않으리
백발이 찾아들어, 우수의 노예가 된 때에도
이들 생각과 느낌 그대를 떠나지 않으리.
그래 담담하고 환하게 찾아오는 노령은
북국(北國)의 밤처럼 곱게
그대를 그대의 무덤으로 안내해 주리.

TO A YOUNG LADY

— WHO HAD BEEN REPROACHED FOR TAKING LONG WALKS IN THE COUNTRY —

Dear Child of Nature, let them rail!
— There is a nest in a green dale,
A harbour and a hold;
Where thou, a Wife and Friend, shalt see
Thy own heart-stirring days, and be
A light to young and old.

There, healthy as a shepherd boy,
And treading among flowers of joy
Which at no season fade,
Thou, while thy babes around thee cling,
Shalt show us how divine a thing
A Woman may be made.

Thy thoughts and feelings shall not die,
Nor leave thee, when grey hairs are nigh,
A melancholy slave;
But an old age serene and bright,
And lovely as a Lapland night,
Shall lead thee to thy grave.

물레의 노래

——웨스트모어랜드 전원지역에 퍼져 있는 신앙에 바탕을 둠——

빨리 윙윙하는 물레를 돌려라 !
밤은 반가운 시간을 가져왔도다,
피곤한 손마디가 선녀의 마력으로부터인 양
휴식이 필요한 시간을.
이슬에 젖은 밤은 땅에 그림자를 드리운다
물레바퀴를 빨리빨리 돌려라.

이젠, 별빛 총총한 하늘 아래
사방에 흩어진 양떼들은 잠들고.——
즐거운 손을 놀리고 놀려라 !
잠든 사이 물레 가락은
더 믿음직한 실밥을 뽑아내며
빨리 순탄하게 감기고 감기네.

변덕 많은 눈길에서 빚어진
애정(愛情) 짧기도 하지.
진정한 사랑은 다정한
양모(羊毛)에서 뽑히는 실과 같아라
양떼들 모두 산자락에 안겨
잠들어 휴식할 때에.

SONG FOR THE SPINNING WHEEL
——FOUNDED UPON A BELIEF PREVALENT AMONG THE PASTORAL VALES OF WESTMORELAND——

Swiftly turn the murmuring wheel!
Night has brought the welcome hour,
When the weary fingers feel
Help, as if from faery power;
Dewy night o'ershades the ground;
Turn the swift wheel round and round!

Now, beneath the starry sky,
Couch the widely-scattered sheep;——
Ply the pleasant labour, ply!
For the spindle, while they sleep,
Runs with speed more smooth and fine,
Gathering up a trustier line.

Short-lived likings may be bred
By a glance from fickle eyes;
But true love is like the thread
Which the kindly wool supplies,
When the flocks are all at rest,
Sleeping on the mountain's breast.

아름다운 저녁

아름다운 저녁, 고요하고 평온하다
거룩한 시간은 숨결을 모도우고 찬미하는
수녀(修女)마냥 조용하다. 둥근 태양은
정일(靜逸) 속에 가라앉고
하늘은 사뿐히 바다를 품에 안다.
들으렴! 위대한 존재(存在)가 잠을 깨어
그의 영원한 운동으로
천둥 같은 소리를 내는구나――한없이.
지금 나와 같이 걷고 있는
사랑하는 아이야! 사랑하는 딸아!
네가 만약 엄숙한 생각에
감동하지 않는 듯 보인다 해도
너의 본성(本性)은 신성(神性)이 모자란 건 아닌거니.
너는 일년 내내 하늘의 축복 속에 안겨 있고
신전(神殿) 안의 성소(聖所)에서 기도하나니
우린 몰라도 신(神)은 너와 함께 하신다.

IT IS A BEAUTEOUS EVENING

It is a beauteous evening, calm and free,
The holy time is quiet as a Nun
Breathless with adoration; the broad sun
Is sinking down in its tranquillity;
The gentleness of heaven broods o'er the Sea:
Listen! the mighty Being is awake,
And doth with his eternal motion make
A sound like thunder—everlastingly.
Dear Child! dear Girl! that walkest with me here,
If thou appear untouched by solemn thought,
Thy nature is not therefore less divine:
Thou liest in Abraham's bosom all the year;
And worshipp'st at the Temple's inner shrine,
God being with thee when we know it not.

그녀는 환희의 환영(幻影)

최초로 내 눈에 비쳤을 때
그녀는 환희의 환영(幻影)
순간을 장식토록 보내진
아름다운 환영(幻影)
그녀의 눈망울은 황혼의 별처럼 고왔고
거무스런 그녀의 머리칼도 황혼 같았다.
그러나 그 밖의 모든 아름다움은
싱그러운 5월과 명랑한 새벽과 같은 것
춤추는 자태, 유쾌한 형상으로
느닷없이 나타나 깜작 놀라게 하고 기습을 감행했다.

더 가까이 바라보면
정령(精靈)이면서도 한 여인(女人)!
집안에서 몸가짐 경쾌하고 자유스러워
처녀다운 자유의 발걸음.
얼굴엔 고운 사연과 아름다운
약속들이 깃들어 있고
인정의 매일의 양식(糧食)에도
순간의 슬픔과 소박한 수작, 칭찬,
비난, 사랑, 키스, 눈물과 미소에도
알맞게 빛나고 알맞게 선한 그녀.

지금 나는 차분한 눈길로
그녀 몸체의 고동(鼓動)을 바라보니
생각에 잠긴 숨결을 숨쉬는 존재
삶과 죽음을 오가는 나그네.
확고한 이성, 절제된 의지,
인내와 통찰력, 힘과 익은 솜씨.
주의를 주고 위안을 주며 명령하도록
고상하게 작정(作定)된 완벽한 여인
그러면서도 여전히 정령(精靈)으로
천사(天使) 같은 빛으로 휘황(輝煌)하여라.

SHE WAS A PHANTOM OF DELIGHT

She was a Phantom of delight
When first she gleamed upon my sight;
A lovely Apparition, sent
To be a moment's ornament;
Her eyes as stars of Twilight fair;
Like Twilight's, too, her dusky hair;
But all things else about her drawn
From May-time and the cheerful Dawn;
A dancing Shape, an Image gay,
To haunt, to startle, and way-lay.

I saw her upon nearer view,
A Spirit, yet a Woman too!
Her household motions light and free,
And steps of virgin-liberty;
A countenance in which did meet
Sweet records, promises as sweet;
A Creature not too bright or good
For human nature's daily food;
For transient sorrows, simple wiles,
Praise, blame, love, kisses, tears, and smiles.

And now I see with eye serene
The very pulse of the machine;
A Being breathing thoughtful breath,
A Traveller between life and death;
The reason firm, the temperate will,
Endurance, foresight, strength, and skill;
A perfect Woman, nobly planned,
To warn, to comfort, and command;
And yet a Spirit still, and bright
With something of angelic light.

*이 시(詩)는 워즈워드가 자기의 부인 메어리 허친슨(*Mary Hutchinson*)에게 바친 찬가임.

Ⅱ. 고독한 처녀의 노래

그녀는 인적 드문 곳에 살았네

그녀는 인적 드문 곳에 살았네
더브 강(江) 물줄기 시작하는 데서
누구 하나 칭찬해 줄 이 없고
사랑해 줄 사람 없던 아가씨.

사람들 눈길에 반쯤 가려진
이끼 낀 돌가에 피어난 한 송이 제비꽃
——별처럼 고와라, 하늘에 하나만 남아
반짝이는 별처럼.

그녀는 아무도 아는 사람 없이 살았네
언제 루시가 죽었는지 아는 사람 없고
하나 그녀 땅에 묻히니 오,
세상은 이다지도 다른 것을!

SHE DWELT AMONG THE UNTRODDEN WAYS

She dwelt among the untrodden ways
Beside the springs of Dove,
A Maid whom there were none to praise
And very few to love:

A violet by a mossy stone
Half hidden from the eye!
——Fair as a star, when only one
Is shining in the sky.

She lived unknown, and few could know
When Lucy ceased to be;
But she is in her grave, and, oh,
The difference to me!

고독한 추수자(秋收者)

보라, 들에서 혼자
추수(秋收)하며 노래하는
저 외로운 고원(高原)의 처녀를!
걸음을 멈추거나, 그냥 말없이 지나가오
그녀 홀로 곡식을 베고 묶으며
구슬픈 노래 부르는 걸
오 들어보게! 깊은 골짜기에
그 소리 넘쳐 흐르지 않는가.

어느 꾀꼬리 있어 노래 불러
아라비아 사막(沙漠) 한복판
어느 그늘진 곳의 지친 길손들에게
이보다 더한 반가운 가락이 되겠는가
이같이 설레이는 목소리
머나먼 헤브리디즈 제도(諸島)의
바다의 적막을 깨치고
봄을 맞아 들려오는 뻐꾸기한테 들어본 적이 있는가?

그녀가 무슨 노래하는지 말해 줄 이 있으랴?
어쩌면 저 구슬픈 가락은
먼 옛날 불행했던 일들,
옛날에 있었던 싸움을 두고

아니면 보다 더 소박한 노래로
요사이 흔한 일들을 두고 읊는 것일까?
지나간 날의, 앞으로 닥칠
인생의 슬픔, 죽음 혹은 괴로움일까?

주제야 어떻든 처녀의 노래는
끝이 없는 듯 이어져 갔네
그녀가 일을 하며 몸을 굽혀
낫질하면서 노래했노니
나는 잠자코 멈춰선 채 귀를 기울였네.
그리고 언덕길 접어 올라가면서
마음 속에 노랫소리를 안고 갔네
노랫가락 사라진 후 한참 후에 까지도.

THE SOLITARY REAPER

Behold her, single in the field,
Yon solitary Highland Lass!
Reaping and singing by herself;
Stop here, or gently pass!
Alone she cuts and binds the grain,
And sings a melancholy strain;
O listen! for the Vale profound
Is overflowing with the sound.

No Nightingale did ever chaunt
More welcome notes to weary bands
Of travellers in some shady haunt,
Among Arabian sands:
A voice so thrilling ne'er was heard
In spring-time from the Cuckoo-bird,
Breaking the silence of the seas
Among the farthest Hebrides.

Will no one tell me what she sings?——
Perhaps the plaintive numbers flow
For old, unhappy, far-off things,
And battles long ago:
Or is it some more humble lay,
Familiar matter of to-day?
Some natural sorrow, loss, or pain,
That has been, and may be again?

Whate'er the theme, the Maiden sang
As if her song could have no ending;
I saw her singing at her work,
And o'er the sickle bending;——
I listened, motionless and still;
And, as I mounted up the hill,
The music in my heart I bore,
Long after it was heard no more.

수녀(修女)들은 수녀원에서…

수녀(修女)들은 수녀원(修女院) 방이 좁아도 속을 태우지 않고
은자(隱者)는 암자(庵子)를 족히 여기나니.
학생들 사색의 성채(城砦)에 만족하듯이.
처녀들은 물레 앞에서, 베짜는 사람은
베틀에서, 즐겁고 행복하게 앉았나니.
벌들은 꽃을 위해 퍼니스 펠즈
상상봉만큼이나 높이 날아서
현삼화(玄蔘花) 속에 들어 때도 없이 붕붕거린다.
진정 우리의 숙명적인 감옥이란
감옥이 아닌 것. 내게는 다양한
기분에 따라 시(詩)의 좁은 땅에
갇혀 있는 것이 즐거운 소일(消日)거리.
어느 누가(으레 있게 마련인)
지나친 자유의 무게에 눌려
나마냥 시(詩) 속에서 잠시 위안을 찾게 되면
흐뭇한 일인거니.

NUNS FRET NOT AT THEIR CONVENT'S···

Nuns fret not at their convent's narrow room;
And hermits are contented with their cells;
And students with their pensive citadels;
Maids at the wheel, the weaver at his loom,
Sit blithe and happy; bees that soar for bloom,
High as the highest Peak of Furness-fells,
Will murmur by the hour in foxglove bells:
In truth the prison, unto which we doom
Ourselves, no prison is: and hence for me,
In sundry moods, 'twas pastime to be bound
Within the Sonnet's scanty plot of ground;
Pleased if some Souls(for such there needs must be)
Who have felt the weight of too much liberty,
Should find brief solace there, as I have found.

잠에게

양들은 떼지어 한 마리씩
유유히 지나가고, 빗소리,
벌들의 웅성이는 소리, 강이 흐르고,
바람과 바다, 평평한 들판,
하얀 지면(紙面) 같은 수면(水面), 그리고 맑은 하늘
이것 저것 다 새겨 보며 누워도
잠은 찾아오지 않아! 이윽고
과수원 나무에서 울려나오는
새들의 노랫소리며
뻐꾸기의 구슬픈 첫 가락 들려와도
어젯밤에 연이어 이틀 밤을
나는 몸을 눕혀도 널 이기지 못해
잠이여! 아무리 몰래 덤벼도.
그러니 이 밤도 헛되이 보내지 말게 해 주오.
네가 없다면 아침의 온갖 부귀도 무용(無用)한 것,
자, 매일 매일의 칸막이여
신선한 생각과 기쁨에 찬 건강의 그리운 어머니여!

TO SLEEP

A flock of sheep that leisurely pass by,
One after one; the sound of rain, and bees
Murmuring; the fall of rivers, winds and seas,
Smooth fields, white sheets of water, and pure sky;
I have thought of all by turns, and yet do lie
Sleepless! and soon the small birds' melodies
Must hear, first uttered from my orchard trees;
And the first cuckoo's melancholy cry.
Even thus last night, and two nights more, I lay
And could not win thee, Sleep! by any stealth:
So do not let me wear to-night away:
Without Thee what is all the morning's wealth?
Come, blessed barrier between day and day,
Dear mother of fresh thoughts and joyous health!

베니스 공화국(共和國)의 멸망

일찍이 그녀는 화려한 동방(東方)을 봉토(封土)로 삼았고
서방(西方)의 수호자(守護者)였다. 베니스의
진가(眞價)는 가문(家門)의 명예를 더럽히지 않았다.
자유(自由)의 장자(長子)였던 베니스,
그녀는 순결한 처녀의 도시, 빛나고 자유로웠어라.
어떤 책략도 유혹할 수 없었고 어떤 힘도 범할 수 없었나니
그녀 손수 짝을 맞이 했을 때
그녀는 영원한 바다를 낭군(郎君)으로 삼았어라.
저 영광들이 사라져 가고
명문의 칭호가 없어지고 힘이 쇠(衰)해 지면 어떠리.
하나 그녀의 기나긴 목숨 임종(臨終)에
애석한 찬사 바쳐야 하리.
그건 인정(人情)인 것, 일찍이 위대했던 것
그 흔적 사라져 가면 슬퍼해야 하나니.

ON THE EXTINCTION OF THE VENETIAN REPUBLIC

Once did She hold the gorgeous east in fee;
And was the safeguard of the west: the worth
Of Venice did not fall below her birth,
Venice, the eldest Child of Liberty.
She was a maiden City, bright and free;
No guile seduced, no force could violate;
And, when she took unto herself a Mate,
She must espouse the everlasting Sea.
And what if she had seen those glories fade,
Those titles vanish, and that strength decay;
Yet shall some tribute of regret be paid
When her long life hath reached its final day:
Men are we, and must grieve when even the Shade
Of that which once was great is passed away.

시인과 새장 속의 산비둘기

다 익히지 못한 가락
흥얼거릴 적마다 앞에 놓인
버들가지 엮어 만든 저택에서
산비둘기 당장 화답하는 목소리.
지금껏 나뭇잎마냥 잠잠하던
새장 속의 새는 곧잘 울어댄다.
그는 그의 부드러운 이야기를 하자는 건가
아니면 맥빠진 나의 뮤즈를 돕자는 건가?

아무리 봐도 유순한 비둘기는
속으로 나무라는 듯 하구나,
내 감히 사랑의 노래를
멀리해 온 것을.
산과 골짜기를 노래하는 시인으로
철없이, 흥얼대던 것에
역정이 났으리라
마치 비둘기나 꾀꼬리는
나에 대한 감정도, 할 말도 없는 듯이.

너의 뜻이 그런 거라면, 참아 다오
사랑스런 새야! 나를 잘못 안거니
사랑은, 축복받은 사랑은, 어데서나
내 노래의 넋인거니.

숲 속에서나, 고요한 노변에서나
사랑은 내 악기에 숨결을 불어 넣는 거니——
아 다시 우는구나! ——이건 꾸짖음이 아닌,
영감(靈感)을 불러주는 거겠지.

THE POET AND THE CAGED TURTLEDOVE

As often as I murmur here
My half-formed melodies,
Straight from her osier mansion near
The Turtledove replies:
Though silent as a leaf before,
The captive promptly coos;
Is it to teach her own soft lore,
Or second my weak Muse?

I rather think the gentle Dove
Is murmuring a reproof,
Displeased that I from lays of love
Have dared to keep aloof;
That I, a Bard of hill and dale,
Have carolled, fancy free,
As if nor dove nor nightingale
Had heart or voice for me.

If such thy meaning, O forbear,
Sweet Bird! to do me wrong;
Love, blessed Love, is everywhere
The spirit of my song:
'Mid grove, and by the calm fireside,
Love animates my lyre——
That coo again!—'tis not to chide,
I feel, but to inspire.

웨스트민스터 다리 위에서

지상에 이 보다 더 아름다운 광경이 어데 있으랴.
이처럼 감동적인 장관(壯觀)을 두고
그냥 지나쳐 가는 자의 영혼은 무디리라.
이 도시는 지금 아침의 아름다움을
옷처럼 입고 있나니! 말없이, 알몸으로
선박과 탑, 원형지붕과 극장, 교회들이
들녘과 하늘을 향해 누워 있다.
모두들 매연 없는 대기 속에 찬란히 빛나고 있다.
태양은 일찍이 이 보다 더 아름답게
첫 햇살로 골짜기나 바위 혹은 언덕을 비춘 적 없고
난 이같은 깊은 고요를 보지도 느낀 적도 없나니.
강물은 제멋에 겨워 유유히 흘러가고
오! 신(神)이여, 집들마저 잠든 듯하여라.
그리고 저 힘찬 심장 고이 누워 있구나!

COMPOSED UPON WESTMINSTER BRIDGE

Earth has not anything to show more fair:
Dull would he be of soul who could pass by
A sight so touching in its majesty:
This City now doth, like a garment, wear
The beauty of the morning; silent, bare,
Ships, towers, domes, theatres, and temples lie
Open unto the fields, and to the sky;
All bright and glittering in the smokeless air.
Never did sun more beautifully steep
In his first splendour, valley, rock, or hill;
Ne'er saw I, never felt, a calm so deep!
The river glideth at his own sweet will:
Dear God! the very houses seem asleep;
And all that mighty heart is lying still!

1802년 9월, 런던에서 쓴 시(詩)

오 친구여! 나는 모르겠네 내마음
달랠 곳이 어데 있는가를. 이젠 세상은
외양(外樣)만을 위해 차려져 있다고 생각하면
마음이 무거워. 장인(匠人)이나 요리사 아니면
마부(馬夫)가 만들어 낸 값싼 수공품 같은 것.
우리는 햇볕에 반짝이는 시냇물로 흘러가야 한다.
그렇잖으면 축복은 없으리
세상에 제일 가는 부자가 최고의 인물이요
지금은 대자연이나 책 속에 담긴
장관(壯觀)은 우리의 기쁨이 아닌 것.
약탈, 탐욕, 낭비는 우상이요 숭배의 대상이어니
소박한 생활과 고귀한 사색은 찾을 길 없고
그리운 옛날의 보람된, 순박한 아름다움은 간데 없네.
우리들의 평화, 경건한 순수성, 가문의 법도의
숨결을 담은 깨끗한 종교도.

WRITTEN IN LONDON, SEPTEMBER, 1802

O friend! I know not which way I must look
For comfort, being, as I am, opprest,
To think that now our life is only drest
For show; mean handy-work of craftsman, cook,
Or groom!—We must run glittering like a brook
In the open sunshine, or we are unblest:
The wealthiest man among us is the best:
No grandeur now in nature or in book
Delights us. Rapine, avarice, expense,
This is idolatry; and these we adore:
Plain living and high thinking are no more:
The homely beauty of the good old cause
Is gone; our peace, our fearful innocence,
And pure religion breathing household laws.

역전된 형세(形勢)

일어나게! 친구여, 책은 팽개치게
아니면 정녕 허리가 굽어지게 될 걸세
일어나게! 친구여, 얼굴을 펴게
왜 이렇게 아둥바둥하나?

태양은 산마루에
무르익은 싱그러운 빛을
푸른 들에 끝없이 펼쳤네
아름다운 첫 노란 저녁빛이네.

책이라! 그건 지루하고 끝없는 싸움인 것
자, 숲 속의 홍방울새의 노래를 듣게
아름다운 그 음악을! 정말이지
그 노래 속에는 보다 많은 지혜가 담겨 있다네.

들어 보게! 티티새의 노래 유쾌도 하네!
이 새도 얕잡아 볼 설교자는 아닐세
만상(萬象)의 빛 속으로 들어오게나
자연을 스승으로 삼게.

자연은 넘치는 부(富)를 지녀
우리의 정신과 마음을 축복해 준다네

건강한 숨결이 밴 자연 그대로의 지혜
유쾌함이 숨쉬는 진리(眞理)를.

푸른 봄 동산에서 느낀 충동은
그대에게 인간(人間)에 관하여
도덕적 선(善)과 악(惡)에 관하여
보다 많은 걸 가르쳐 줄 수 있다네
모든 성현(聖賢)들 보다도.

자연이 주는 지식은 아름다운 것
주제넘은 우리의 지성(知性)은
고운 사물의 모습을 일그러지게 하나니
해부(解剖)는 살해(殺害)하는 일.

학문과 기예(技藝)란 그만!
저 메마른 책장을 거둬
관찰하고 감응(感應)하는
마음을 안고 오게.

THE TABLES TURNED

Up! up! my Friend, and quit your books;
Or surely you'll grow double:
Up! up! my Friend, and clear your looks;
Why all this toil and trouble?

The sun, above the mountain's head,
A freshening lustre mellow
Through all the long green fields has spread,
His first sweet evening yellow.

Books! 'tis a dull and endless strife:
Come, hear the woodland linnet,
How sweet his music! on my life,
There's more of wisdom in it.

And hark! how blithe the throstle sings!
He, too, is no mean preacher:
Come forth into the light of things,
Let Nature be your Teacher.

She has a world of ready wealth,
Our minds and hearts to bless——
Spontaneous wisdom breathed by health,
Truth breathed by cheerfulness.

One impulse from a vernal wood
May teach you more of man,
Of moral evil and of good,
Than all the sages can.

Sweet is the lore which Nature brings;
Our meddling intellect
Mis-shapes the beauteous forms of things:—
We murder to dissect.

Enough of Science and of Art;
Close up those barren leaves;
Come forth, and bring with you a heart
That watches and receives.

야　상(夜想)

보라！ 하늘을
행복한 운명을 안고 떠가는 달을
때때로 사람의 시야에서
　　감추이듯 아스름하지만
구름이 뿔뿔이 흩어지면
　　빛나는 자태 돋보이는구나！

다루기 힘든 종족——인간은 이렇지 못해
수많은 사람들 풍요로운 운명의 총애 속에도
음산한 발길 소중한 듯
　　길을 좇아가네
웃음 없는 표정을 짓는 배은망덕한 종족들
　　한 해 동안 내내.

이와 비슷한 기분에 싸여
내 영혼이 그저 맥없이
너의 발길 따라 환상에서 주저 내리면,
　　하늘의 빛나는 배(船)여！
이에 맞서는 즐거운 충동을 받들어
　　용서받고 싶구나.

A NIGHT THOUGHT

Lo! where the Moon along the sky
Sails with her happy destiny;
Oft is she hid from mortal eye
Or dimly seen,
But when the clouds asunder fly
How bright her mien!

Far different we—a froward race,
Thousands though rich in Fortune's grace
With cherished sullenness of pace
Their way pursue,
Ingrates who wear a smileless face
The whole year through.

If kindred humours e'er would make
My spirit droop for drooping's sake,
From Fancy following in thy wake,
Bright ship of heaven!
A counter impulse let me take
And be forgiven.

탄　식(歎息)

신세가 바뀌어——난 가난한 사람
그대의 사랑은, 얼마 전 만해도
다정한 내 마음의 문(門)에 샘물이었나니,
사명(使命)인 듯 흐르고 흐르던 샘물.
자신의 넘치는 풍요를, 나의 요구를
아랑곳하지 않던 샘물이었네.

헤어보던 하많은 행복의 순간들!
어느 축복 겨루지 못할 나위 없는 나의 축복!
이젠, 졸졸 반짝이는 생생한 사랑의
거룩한 샘과 내 무엇으로 겨루리까?
말해 볼까? 그건 위안 없는 비밀(祕密)의 샘.

사랑의 샘——아마도 깊은 샘이리라——
그리고——영원히 마르지 않는 샘.
이 샘물 말없이 남 모르게
잠잔들 어떠하리?
——이같은 변화로 다정한 내 마음의 문 앞에서
나는 가난한 사람이 됐어라.

A COMPLAINT

There is a change—and I am poor;
Your love hath been, nor long ago,
A fountain at my fond heart's door,
Whose only business was to flow;
And flow it did; not taking heed
Of its own bounty, or my need.

What happy moments did I count!
Blest was I then all bliss above!
Now, for that consecrated fount
Of murmuring, sparkling, living love,
What have I? shall I dare to tell?
A comfortless and hidden well.

A well of love—it may be deep——
I trust it is,—and never dry:
What matter? if the waters sleep
In silence and obscurity.
—Such change, and at the very door
Of my fond heart, hath made me poor.

밀턴이여! 그대는…

—1802년, 런던—

밀턴이여! 그대는 지금 살아 숨쉬어야 하는 존재
영국이 필요로 하는 인물이어니. 나라는
물이 빠져 나가지 않는 늪이 되어 종단과 군대와 문단,
가정과 전당과 누각에 깃든 영용(英勇)한 재보는
내면의 행복이란 옛 영국의 유산을 앗아갔도다.
우리는 하나같이 이기심(利己心)에 차고
아! 우리를 일으켜 주오, 자아를 찾게 해 주오
우리에게 예절과 덕행과 자유와 힘을 다오
그대의 넋은 별과 같이 멀리 떨어져 있고
그대의 목소리는 바닷소리와도 같나니.
맑은 하늘처럼 순수하고, 장엄하고 자유로이
그대는 삶의 평범한 길을 걸어갔도다
경건한 기쁨을 안고서. 그러면서도 그대 마음은
가장 비천한 일도 마다 하지 않았느니.

MILTON! THOU SHOULDST BE…

——LONDON, 1802——

Milton! thou shouldst be living at this hour:
England hath need of thee: she is a fen
Of stagnant waters: altar, sword, and pen,
Fireside, the heroic wealth of hall and bower,
Have forfeited their ancient English dower
Of inward happiness. We are selfish men;
Oh! raise us up, return to us again;
And give us manners, virtue, freedom, power.
Thy soul was like a Star, and dwelt apart;
Thou hadst a voice whose sound was like the sea:
Pure as the naked heavens, majestic, free,
So didst thou travel on life's common way,
In cheerful godliness; and yet thy heart
The lowliest duties on herself did lay.

낯선 땅을 여행하며

바다 너머 낯선 땅 낯선 사람들
사는 곳을 가 보고서, 조국이여!
난 비로소 알았네
네게 품은 나의 사랑을.

지난날의 우울한 꿈은 사라졌네!
난 또다시
조국의 해안을 떠나지 않으려니
네게 향한 나의 사랑 더욱 깊어만 가는 것을.

너의 산 속에서 나는
내 뜻이 펴지는 기쁨을 알았고
내 그리운 여인은 물레를 돌렸네
흐뭇한 조국의 벽로(壁爐)가에서.

루시가 놀던 나무그늘
조국의 아침엔 나타났다가
밤이면 감추어지고
너의 들녘 그 마지막 푸른 들녘을
루시는 바라보았나니.

I TRAVELLED AMONG UNKNOWN MEN

I travelled among unknown men,
In lands beyond the sea;
Nor, England! did I know till then
What love I bore to thee.

'Tis past, that melancholy dream!
Nor will I quit thy shore
A second time; for still I seem
To love thee more and more.

Among thy mountains did I feel
The joy of my desire;
And she I cherished turned her wheel
Beside an English fire.

Thy mornings showed, thy nights concealed,
The bowers where Lucy played;
And thine too is the last green field
That Lucy's eyes surveyed.

북부 웨일즈의 어느 폐허의 성(城)터에서

부서진 회랑(回廊), 지붕 없는 복도를
조심스런 발길 옮기면서
길손은 한숨 지으며 세월을 나무란다.
운명의 노예 가운데
가장 온순한 세월은
이들 상채기에 인정스런 손길 매만졌지만,
희미한 달빛, 탑들과 성벽에
내리듯 은은히 비추이듯.
가장 깊이 잠든 그늘을 깊게 해 주는 빛처럼.
제왕들의 유물이여! 잊혀진 전쟁의 잔해여,
바람과 엿보는 별들에 내맡겨진,
세월은 너를 사랑하나니! 세월의 부름에
계절은 너의 백발의 머리 위에
풍요한 화환을 엮어 주나니.
그래, 비록 지난날의 위용(威容)은
되찾지 못해도, 그 마음 달래주는 보상은
너의 것, 세월의 선물!

COMPOSED AMONG THE RUINS OF A CASTLE IN NORTH WALES

Through shattered galleries, 'mid roofless halls,
Wandering with timid footsteps oft betrayed,
The Stranger sighs, nor scruples to upbraid
Old Time, though he, gentlest among the Thralls
Of Destiny, upon these wounds hath laid
His lenient touches, soft as light that falls,
From the wan Moon, upon the towers and walls,
Light deepening the profoundest sleep of shade.
Relic of Kings! Wreck of forgotten wars,
To winds abandoned and the prying stars,
Time loves Thee! at his call the Seasons twine
Luxuriant wreaths around thy forehead hoar;
And, though past pomp no changes can restore,
A soothing recompense, his gift, is thine!

가엾은 수잔의 공상(空想)

우드 스트리트 모퉁이에 햇빛이 돋으면
새장 속에 매달린 지빠귀 3년을 노래했네.
가엾은 수잔이 이 곳을 지나다
아침의 고요 속에서 이 새의 노래를 들었다네.

매혹의 가락, 그런데 어찌된 일인가? 수잔에겐
산이 솟아오르고 나무들의 환영(幻影)이 보인 것이네.
빛나는 안개가 뭉게뭉게 로쓰베리를 스쳐가고
치프사이드 골짜기로 강물이 흘러드네.

골짜기 한가운데서 수잔은 파란 목장을 바라보네
우유통을 들고 빈번히 내려다니던 그 골짜기.
그리고 한 채 남은 작은 비둘기 둥지만한 오두막집
이 세상에서 그녀가 사랑하는 하나뿐인 집을.

이렇게 바라보노라면 그녀의 마음은 천국이어니
그러나 안개도 강물도, 언덕과 그늘도 모두 사라지네.
시냇물은 멈추고, 언덕은 솟아나려 들지 않고,
온갖 고운 색깔은 시야에서 사라지고 말았네!

THE REVERIE OF POOR SUSAN

At the corner of Wood Street, when daylight appears,
Hangs a Thrush that sings loud, it has sung for three years:
Poor Susan has passed by the spot, and has heard
In the silence of morning the song of the Bird.

'Tis a note of enchantment; what ails her? She sees
A mountain ascending, a vision of trees;
Bright volumes of vapour through Lothbury glide,
And a river flows on through the vale of Cheapside.

Green pastures she views in the midst of the dale,
Down which she so often has tripped with her pail;
And a single small cottage, a nest like a dove's,
The one only dwelling on earth that she loves.

She looks, and her heart is in heaven: but they fade,
The mist and the river, the hill and the shade:
The stream will not flow, and the hill will not rise,
And the colours have all passed away from her eyes!

가장 감미로운 건…

가장 감미로운 건 눈을 치켜들지 않고서
길이 있건 없건 땅을 걸어가는 일이다.
나그네는 둘레의 고운 풍경에 에워싸여도
다시 눈길을 주지 않을 일이다.
오히려 상상의 작용인
어떤 부드러운 이상적 풍경이나
어떤 명상의 행복한 가락에 취해
찾아오는 미(美)와 가버린 미(美)에
잠겨 보는 것이나
사색과 사랑이 우리를 저버린다면
그날부터 뮤즈와의 교섭을 단절하자.
사색과 사랑이 길동무가 되면
감각을 받아들이든 말든
마음 속 깊은 하늘은
가장 보잘것없는 노래에도
이슬을 내리리니.

MOST SWEET IT IS···

Most sweet it is with unuplifted eyes
To pace the ground, if path be there or none,
While a fair region round the traveller lies
Which he forbears again to look upon;
Pleased rather with some soft ideal scene,
The work of Fancy, or some happy tone
Of meditation, slipping in between
The beauty coming and the beauty gone.
If Thought and Love desert us, from that day
Let us break off all commerce with the Muse:
With Thought and Love companions of our way,
Whate'er the senses take or may refuse,
The Mind's internal heaven shall shed her dews
Of inspiration on the humblest lay.

심플론 고개

——시냇물과 길은
이 어두운 고갯길에 길동무여라
우리는 이 길따라 물따라
몇 시간 유유자적(悠悠自適) 하였나니.
한없이 높은 산은 허물어질 듯
영영 허물어지지 않고
제자리에서 솟구친 폭포수는
갈갈이 찢기고 굽이치고
바람은 바람을 거슬러 당혹과 절망을 낳고
급한 물길은 해맑은 하늘에서 내리치고
귓 속에 쟁쟁히 닿는 바위들의 속삭임
노변에서 대담하는 눈부신 절벽들
마치 목소리를 타고난 듯,
포효하는 시냇물의 역겨운 광경
어지러운 경치
자유분방한 구름과 천국이 깃든 곳
무질서와 평화, 어둠과 빛——
모두 한마음의 작용같고
같은 얼굴의 특징인 듯, 한 나무에 핀 꽃인 듯,
위대한 묵시록의 글귀들,
구원(久遠)의 모형과 상징들
처음이요, 마지막이요, 가운데, 끝이 없는.

THE SIMPLON PASS

——— Brook and road
Were fellow-travellers in this gloomy Pass,
And with them did we journey several hours
At a slow step. The immeasurable height
Of woods decaying, never to be decayed,
The stationary blasts of waterfalls,
And in the narrow rent, at every turn,
Winds thwarting winds bewildered and forlorn,
The torrents shooting from the clear blue sky,
The rocks that muttered close upon our ears,
Black drizzling crags that spake by the wayside
As if a voice were in them, the sick sight
And giddy prospect of the raving stream,
The unfettered clouds and region of the heavens,
Tumult and peace, the darkness and the light ——
Were all like workings of one mind, the features
Of the same face, blossoms upon one tree,
Characters of the great Apocalypse,
The types and symbols of Eternity,
Of first, and last, and midst, and without end.

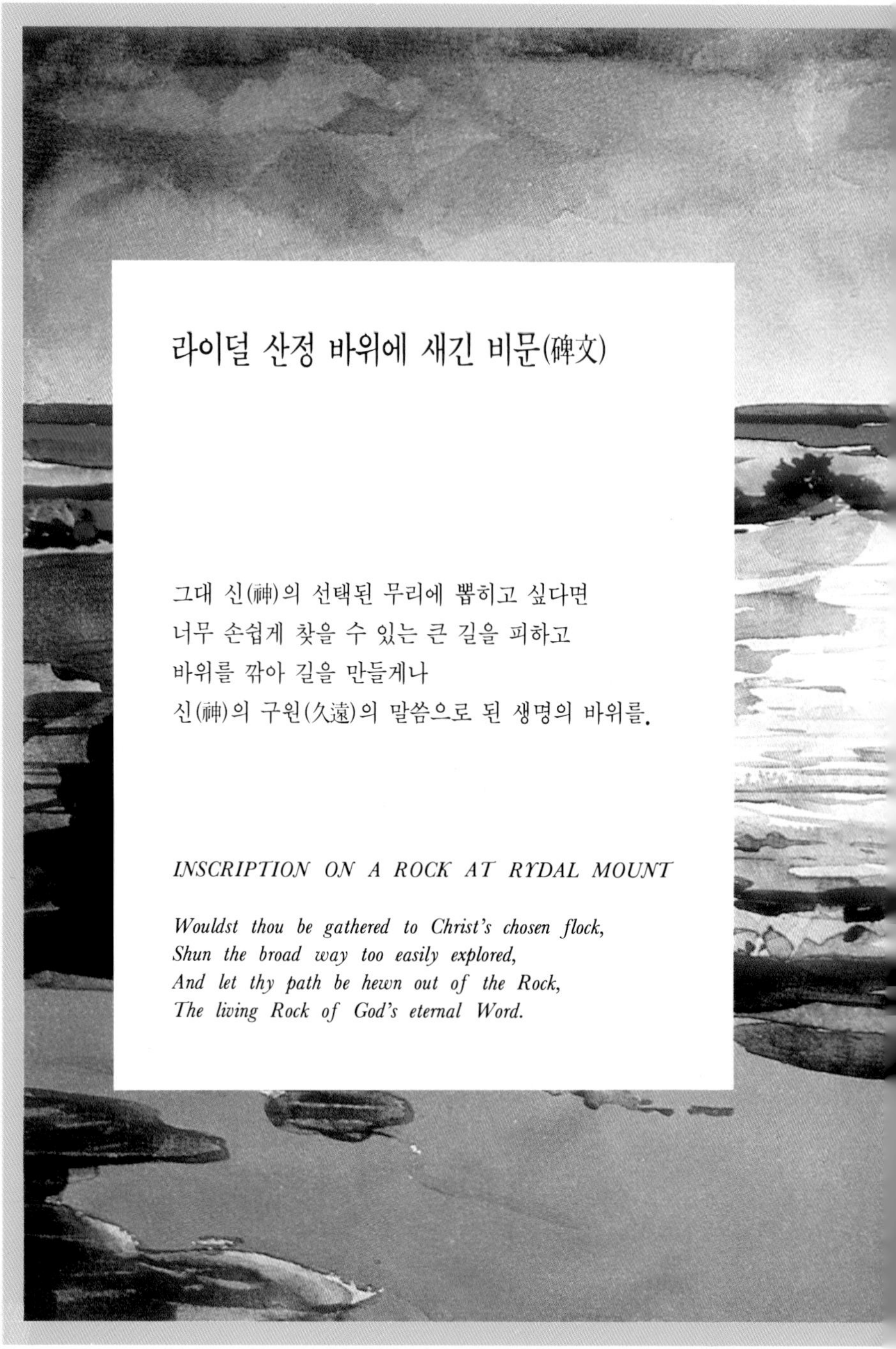

라이덜 산정 바위에 새긴 비문(碑文)

그대 신(神)의 선택된 무리에 뽑히고 싶다면
너무 손쉽게 찾을 수 있는 큰 길을 피하고
바위를 깎아 길을 만들게나
신(神)의 구원(久遠)의 말씀으로 된 생명의 바위를.

INSCRIPTION ON A ROCK AT RYDAL MOUNT

Wouldst thou be gathered to Christ's chosen flock,
Shun the broad way too easily explored,
And let thy path be hewn out of the Rock,
The living Rock of God's eternal Word.

Ⅲ. 정말, 그대는 아름다워

천상(天上)의 미소

오, 천상(天上)의 미소! 나의 여인이여,
그 미소 내 마음 속 속속들이 비추이누나.
행여 그 미소 내 이마에 반사한다면
그대 그 모습 흐뭇이 바라보리라.
마치 청명한 달이 겸손하나 의젓이
산자락과 바삐 흐르는
시냇물에 비친 자신의
밝은 빛을 바라보듯.

WHAT HEAVENLY SMILES!

What heavenly smiles! O Lady mine,
Through my very heart they shine;
And, if my brow gives back their light,
Do thou look gladly on the sight;
As the clear Moon with modest pride
  Beholds her own bright beams
Reflected from the mountain's side
  And from the headlong streams.

Mary Cassatt

천사 같은 시인들

천사 같은 딴 시인들
티없이 맑은 별들을 노래해도
그대는 별마냥 완벽하지 않나니
완벽치 않음을 기뻐할지어다!

아무리 그대를 아름답다 하지 않아도
개의치 말아 다오, 매리여,
그대는 내게 있어서
어느 아름다움도 견줄 수 없는 존재.

진정한 아름다움은 가슴 깊이 감추어져
마음과 마음이 한데 어울려 맥박치고
사랑하는 사람 사랑할 때
장막(帳幕)을 떨치고 그 모습 나타내나니.

LET OTHER BARDS OF ANGELS SING

Let other bards of angels sing,
Bright suns without a spot;
But thou art no such perfect thing:
Rejoice that thou art not!

Heed not tho' none should call thee fair;
So, Mary, let it be
If nought in loveliness compare
With what thou art to me.

True beauty dwells in deep retreats,
Whose veil is unremoved
Till heart with heart in concord beats,
And the lover is beloved.

정말, 그대는 아름다워

정말! 그대는 아름다워
하지만 이 고백(告白)을 비웃게 되지 않기를,
때때로 난 그대 속에 빚어논
내 환상의 그림자를 사랑해 왔으므로.

상상은 정녕 눈떠 있으려니,
사랑하는 아가씨야, 이 진실 믿어 다오,
줄 것이 없는 마음은
느끼는 것도 없다는 것을.

내 마음 속 깊은 사랑의 주인 되어 준
그대, 인연을 기뻐해 주오,
이것은 하늘과 땅, 대기와 바닷속의
온 만물이 순종하는 법칙이거니.

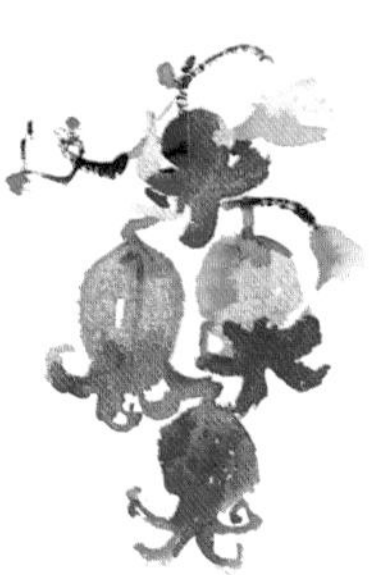

YES! THOU ART FAIR

Yes! thou art fair, yet be not moved
To scorn the declaration,
That sometimes I in thee have loved
My fancy's own creation.

Imagination needs must stir;
Dear Maid, this truth believe,
Minds that have nothing to confer
Find little to perceive.

Be pleased that nature made thee fit
To feed my heart's devotion,
By laws to which all Forms submit
In sky, air, earth, and ocean.

데이지 꽃에게

빛나는 꽃! 어데나 피어난 꽃
대자연의 품에 안겨 대담스러히
일년 내내
　　기쁨과 슬픔을 안고.
내 생각엔 내게는 뭔지
인간과의 인연(因緣)이 맺혀 있는 듯,
어느 꽃에서는 볼 수 없는 것
　　네게서 난 우거진 산림을 보나니!

인간은 쉬이 실망해서 그럴까?
생각이 모자란 자, 그는 한 번 불행해지면
추억이나 이성(理性)을 잃는데
　　사려 깊게도
너는 인간에게 가르쳐 주려니
바람이 아무리 불어도 피신처를,
불우한 시대와 계절에도
　　희망을 찾는 법을.

너는 넓은 세상을 헤매이나니
너를 맞는 친구가 있으나 없으나
오만(傲慢)과 괜한 의혹에 구애받지 않고
　　오직 흐뭇하고 기뻐하는 너,

온순하게, 때의 부름에 따라
온갖 고난 다 견디며
너의 사도(使徒)다운 소임(所任)
평화롭게 수행하누나.

TO THE DAISY

Bright Flower! whose home is everywhere,
Bold in maternal Nature's care,
And all the long year through the heir
Of joy and sorrow;
Methinks that there abides in thee
Some concord with humanity,
Given to no other flower I see
The forest thorough!

Is it that Man is soon deprest?
A thoughtless Thing! who, once unblest,
Does little on his memory rest,
Or on his reason,
And Thou wouldst teach him how to find
A shelter under every wind,
A hope for times that are unkind
And every season?

Thou wander'st the wide world about,
Unchecked by pride or scrupulous doubt
With friends to greet thee, or without,
Yet pleased and willing;
Meek, yielding to the occasion's call,
And all things suffering from all,
Thy function apostolical
In peace fulfilling.

에어리 포스 계곡

———잎새 우거진 골짜기 한복판
바람 한 점 없이 잔잔하다.
시냇가 언저리 나무들은
바위마냥 의젓이 서 있고
멀리서 젖줄로 이어 온 산들처럼
유구(悠久)한 시냇물은
이 고요를 깨치기보다 더 깊게 해 주고
그 밖에 만상(萬象)은 고요와 부동(不動)의 자리.
그런데도 지금 실바람이 어쩌다
골 밖에서 포효(咆哮)하는 거센 바람을 피해
이 곳에 들르면 우람한 참나무는 요지부동,
가벼운 사시나무는 스치는 실바람에도
저 캄캄한 동굴 머리맡에 매달린 채
침묵하는 듯 가지를 느릿하게 흔들며
눈(眼)의 음악을 연주(演奏)하고
낭랑한 노랫소리 못지 않게
나그네의 발길을 멈추게 하며
그의 생각을 달래주네.

AIREY-FORCE VALLEY

——Not a breath of air
Ruffles the bosom of this leafy glen.
From the brook's margin, wide around, the trees
Are steadfast as the rocks; the brook itself,
Old as the hills that feed it from afar,
Doth rather deepen than disturb the calm
Where all things else are still and motionless.
And yet, even now, a little breeze, perchance
Escaped from boisterous winds that rage without,
Has entered, by the sturdy oaks unfelt,
But to its gentle touch how sensitive
Is the light ash! that, pendent from the brow
Of yon dim cave, in seeming silence makes
A soft eye-music of slow-waving boughs,
Powerful almost as vocal harmony
To stay the wanderer's steps and soothe his thoughts.

80세 노인에게

애정(愛情)도 대상이 없으면 세월은 후계자를
낳지 않는 법. 추억 속에 박혀,
사랑이 존재치 않으면 사랑은 가야지.——
으레 취하는 양식(糧食)이 없다면 그것은
지상에서 사라져 재생의 꿈도 버려야 하는 법.
이 슬픈 신앙, 수많은 사람들에게 남긴
가장 행복한 믿음을 그대는 누리지 못하나니,
사별(死別)을 겪고, 멸시와 천대를 받아도
그대 이같은 결핍을 두려워 말지니.
그대 가난하고 친구도 없이
동배(同輩) 가운데 홀로 살아 남아서
하늘은 나이가 맞는 극도의 고독에 맞설
애도의 역할을 점지해 준
그대의 마음 한 구석에도
생명이 있는 것에 대한 사랑할 자리가 마련되어
있나니.

TO AN OCTOGENARIAN

Affections lose their object; Time brings forth
No successors; and, lodged in memory,
If love exist no longer, it must die,——
Wanting accustomed food, must pass from earth,
Or never hope to reach a second birth.
This sad belief, the happiest that is left
To thousands, share not Thou; howe'er bereft,
Scorned, or neglected, fear not such a dearth.
Though poor and destitute of friends thou art,
Perhaps the sole survivor of thy race,
One to whom Heaven assigns that mournful part
The utmost solitude of age to face,
Still shall be left some corner of the heart
Where Love for living Thing can find a place.

사람의 마음은

'사람의 마음은 여리고, 그의 판단은 어둡고
추억은 괴롭고, 희망은 배반하며
슬픔은 크고——슬픈 존재인 인간에게
기쁨은 불길처럼 부질없나니!'
인간의 무상(無常)한 운명을
이같이 그리며, 영광스런 생태(生態)의 능력을
사변적(思辨的)인 차원을 넘은 정신으로 승화시키고
인생의 어두운 구름을 솟는 빛으로
채색하고자 한 것.
상상(想像)은 거룩한 힘,
상상은 드높고 기품이 있나니.
상상은 신앙의 영생화(永生花)를 따서
고난의 세찬 소나기를 견디어 내는
화환을 수난자의 이마에 묶어 주며
비애(悲哀)의 가장 매서운 바람결에도
움츠러들지 않나니.

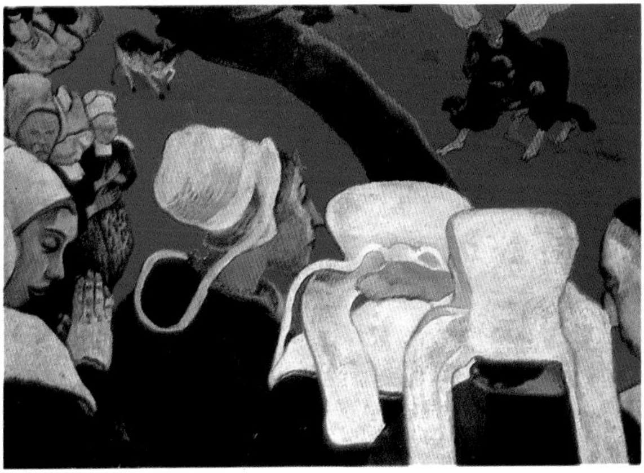

WEAK IS THE WILL OF MAN

'Weak is the will of Man, his judgment blind;
Remembrance persecutes, and Hope betrays;
Heavy is woe;—and joy, for human-kind,
A mournful thing, so transient is the blaze!'
Thus might he paint our lot of mortal days
Who wants the glorious faculty assigned
To elevate the more-than-reasoning Mind,
And colour life's dark cloud with orient rays.
Imagination is that sacred power,
Imagination lofty and refined:
'Tis hers to pluck the amaranthine flower
Of Faith, and round the sufferer's temples bind
Wreaths that endure affliction's heaviest shower,
And do not shrink from sorrow's keenest wind.

시냇가에서

안정된 집을 찾는 사색(思索)으로 채워진
인간정신의 표상(表象)을 보라,
소용돌이 속에서 서로 쫓고 쫓기면서도
나갈 곳이나 안식처(安息處)를 못 찾는
맴도는 물거품 같은 생각들.
나그네여, 그대 이같이 불안에 사로잡히면
무릎 꿇고 신(神)의 손길을 청할지니.

ON THE BANKS OF A ROCKY STREAM

Behold an emblem of our human mind
Crowded with thoughts that need a settled home,
Yet, like to eddying balls of foam
Within this whirlpool, they each other chase
Round and round, and neither find
An outlet nor a resting-place!
Stranger, if such disquietude be thine,
Fall on thy knees and sue for help divine.

아름다운 밤의 여왕

아름다운 밤의 여왕
하늘 높이 흩어진 구름을 헤치며 가네
가끔씩 그녀는
짙은 어둠 속에 머리를 가리고
바라보네, 그리고 눈여겨 보면
구름의 가장자리 밝아지면서
달은 버둥대고 나타나
다시금 청명한 하늘을 걷는다네.

HOW BEAUTIFUL THE QUEEN OF NIGHT

How beautiful the Queen of Night, on high
Her way pursuing among scattered clouds,
Where, ever and anon, her head she shrouds
Hidden from view in dense obscurity.
But look, and to the watchful eye
A brightening edge will indicate that soon
We shall behold the struggling Moon
Break forth,—again to walk the clear blue sky.

즐거운 광경

어떤 다정한 고향 같은 인연으로
새 것과 낡은 것이 만나면 어데서나 즐거운 광경
우리가 바라보는 모든 것의 숨결은
이같은 신비에 달려 있는 것
찬란한 하늘도
들판과 숲의 아름다움도
우리 찬미의 눈길로
바라보며 사랑을 익히지 않으면
모두 부질없나니.

GLAD SIGHT

Glad sight wherever new with old
Is joined through some dear homeborn tie;
The life of all that we behold
Depends upon that mystery.
Vain is the glory of the sky,
The beauty vain of field and grove,
Unless, while with admiring eye
We gaze, we also learn to love.

그대는 끝없이…

그대는 끝없이 번쩍이며
나타났다 사라지는
얼음 밑으로 흘러가는 물거품을 보았는가
무슨 재주로 그러는지 아무도 모르는.

사색도 그러한 것! ——바람찬 초원
풍랑의 바다를 흉내내는 것
삶은 그러한 것, 죽음은
영원의 바위가 드리운 그림자!

HAST THOU SEEN…

Hast thou seen, with flash incessant,
Bubbles gliding under ice,
Bodied forth and evanescent,
No one knows by what device?

Such are thoughts!—A wind-swept meadow
Mimicking a troubled sea,
Such is life; and death a shadow
From the rock eternity!

아이에게
——그애의 사진첩에——

작은 섬김이 쉬지 않으면
참된 섬김이거니
기특한 아이야!
지체가 낮은 친구라도
누구 하나 얕보지 말기를.
한 송이 들국화, 제가 던진 그림자로
맺힌 이슬방울 햇빛을 막는다네.

TO A CHILD
—— *WRITTEN IN HER ALBUM* ——

Small service is true service while it lasts:
Of humblest Friends, bright Creature! scorn not one:
The Daisy, by the shadow that it casts,
Protects the lingering dew-drop from the Sun.

어느 소년(少年)의 이야기

어느 소년(少年)의 이야기. 암벽과
위난더 섬들이 잘 아는 소년의!
해가 지면 초저녁 별들이
산등성이로 발길을 옮겨가
솟아났다 지면, 그는 외로이
자주, 나무 아래 번쩍이는 호숫가에
서 있곤 했다.
손가락을 엮어 손뼉을 붙이고
입에다 갖다 세워
그는 악기를 불듯
말없는 부엉새에게 목소리를 흉내내어
휘파람을 불었다네, 그러면 부엉새들은
시냇물 흐르는 저 건너 골짜기에서
소년에게 화답했지.
떨리는 목청, 길게 내뿜는 소리,
비명을 지르면 메아리는
곱으로 울리고 울려 흥겨운 소리가
합창하는 허허한 계곡.
그러다 잠시 정적이 찾아들면
그 정적 속에서
그 소년 설레이며 귀기울이는 동안
산중의 폭포 소리 가벼운 놀람으로
그의 마음 속 깊숙이 스며들고

눈에 선한 광경들이 저도 모르게 마음에 잠겨드니
장엄한 형상, 바위와 산림과
잔잔한 호수 복판에 안긴 요동하는 하늘과 함께.

이 소년(少年)은 12살이 채 나기 전에
벗들과 헤어져 세상을 떠났고
그애가 나서 자란 골짜기는
아름다움이 빼어난 곳.
마을학교 너머 언덕바지엔
묘지가 자리하고 내 발길 여름이면
그 곳으로 옮겨져서
난 반시간은 족히 발길을 멈추고
말없이 그애 잠든 무덤을 바라보나니.

THERE WAS A BOY

There was a Boy; ye knew him well, ye cliffs
And islands of Winander!—many a time,
At evening, when the earliest stars began
To move along the edges of the hills,
Rising or setting, would he stand alone,
Beneath the trees, or by the glimmering lake;
And there, with fingers interwoven, both hands
Pressed closely palm to palm and to his mouth
Uplifted, he, as through an instrument,
Blew mimic hootings to the silent owls,
That they might answer him.—And they would shout
Across the watery vale, and shout again,
Responsive to his call,—with quivering peals,
And long halloos, and screams, and echoes loud
Redoubled and redoubled; concourse wild
Of jocund din! And, when there came a pause
Of silence such as baffled his best skill:
Then sometimes, in that silence, while he hung
Listening, a gentle shock of mild surprise
Has carried far into his heart the voice
Of mountain-torrents; or the visible scene
Would enter unawares into his mind
With all its solemn imagery, its rocks,
Its woods, and that uncertain heaven received
Into the bosom of the steady lake.

This boy was taken from his mates, and died
In childhood, ere he was full twelve years old.
Pre-eminent in beauty is the vale
Where he was born and bred: the church yard hangs
Upon a slope above the village-school;
And through that churchyard when my way has led
On summer-evenings, I believe that there
A long half-hour together I have stood
Mute—looking at the grave in which he lies!

송　시(頌詩)

——어린 시절 회상 속에 영생(永生)이 엿뵈는 노래——

어린애는 어른의 아버지
나의 여생, 자연의 경건 속에
어울려 살고파.

1

옛날 초원(草原)과 숲과 시냇물이
대지(大地)와 온갖 흔한 광경들이
　　나에겐
천국(天國)의 빛과 꿈 속의 영광(榮光)과
생동감으로 차려 입은 듯한 때가 있었노라.
지금은 옛날과 같지 않아
　　밤이나 낮
　　어데를 돌아보아도
내 눈길 모았던 것들 죄다 사라지고 없노라.

2

무지개는 뜨고 지고
장미는 곱게 피어나고
달은 청명한 하늘을
둘러보며 기뻐하며

별이 총총한 밤 강물은
곱고 아름답나니
햇빛은 찬란한 탄생.
하지만 나는 아노라, 어데를 가도
지상(地上)에서 영광은 사라져 버린 것을.

3

지금, 새들은 이렇듯 환희의 노래 부르고
새끼 양들이 작은 북소리에 맞추어
뛰놀고 있어도
나에겐 오직 서러운 생각이 찾아올 뿐
때 맞추어 쏟은 내 말은 슬픔을 덜어줘
나는 다시 기력을 되찾았나니.
폭포는 절벽에서 나팔을 불어대고
내 서러움을 계절에 돌리지 않으리라
메아리들이 산 속에 모여드는 소리 들리는구나.
바람은 잠든 들녘에서 불어오고
　지상은 환희
　땅과 바다는
　즐거움에 몸을 맡기고
　5월의 마음으로
　온갖 짐승들 축제를 맞는다
　너 환희의 아이야,
내 곁에서 외쳐 보렴, 너의 외치는 소리 들려 다오,
　너 행복한 목동아!

4

축복받은 짐승들아, 나는 들었노라
너희들 서로 부르는 소리를.
너희들 환희에 하늘도 덩달아 웃는구나
내 마음도 너의 축제에 한마당
    내 머리에는 화관(花冠)을 쓰고
너의 축복을 마음껏 느끼노라——빠짐없이
내 어찌 침울하게 불행한 날을 맞으리
    이 아름다운 5월의 아침
    대지는 몸을 치장하고
    아이들은 여기저기
    한없이 뻗친 골짜기를 찾아
    싱싱한 꽃들을 따고
    햇볕은 따스하구나
아이가 엄마품에 뛰어 안길 때.——
나는 듣고 또 듣노라, 환희에 차서!
——그런데 나는 하많은 나무 말고 한 나무를,
들녘 하나를 바라보았네
이 나무 이들은 무언가 사라져 아쉬워하는 모습
    발 아래 팬지 꽃도
    같이 아쉬워하는 이야기네.
어데로 가버렸나 환상의 빛깔은?
꿈과 영광은 지금 어데 있는가?

5

태어남은 한낱 수면과 망각일 뿐.
우리와 함께 솟아오르는 영혼, 우리 목숨의 별은

　　딴 데로 져버리고
　　멀리서 찾아오나니
　　완전한 망각(忘却)이 아닌
　　적나라한 모습이 아닌 채
우리는 영광의 구름을 이끌고
우리의 고향인 하느님으로부터 오는 것을.
어릴 적엔 천국이 우리를 감싸나니!
하나 감옥의 그늘이 자라나는 소년을
에워싸게 되어도
그는 빛을 바라보노라, 빛의 샘을
　　환희의 눈길로
청년은, 날마다 빛의 근원인 동녘에서 떨어져
　　가야 해도, 변치 않는 자연의 숭배자이어니
　　찬란한 환상이 길동무하는 것
마침내 어른이 되면 그 빛남은 사라져 가고
평범한 일상의 빛 속에 사위임을 아노니.

6

대지(大地)는 무릎 가득히 환희로 채우고
본연의 그리움을 지닌거니
그래 어머니다운 정(情)과
　　보람찬 의향(意向)을 품고
　　수수한 유모(乳母)는 갖은 애를 써서
그녀의 젖먹이인 어른에게
　　그가 누린 옛날의 영광을,
그의 고향인 화려한 궁정(宮廷)을 잊게 하네.

7

보라, 새로 태어난 축복에 싸인 어린 아이를,
난쟁이같이 작은 여섯 살 난 귀염둥이를!
보라, 제가 만든 놀잇감에 묻혀 누워 있는 곳을
빗발같이 쏟아지는 어머니의 입맞춤을 받은 채
아버지의 눈빛을 받아 안고서.
보라, 그의 발등에 놓인 작은 설계와 도표를,
새로 익힌 기술로 만든
인생에 대한 그의 꿈의 조각을,
　　결혼과 축제
　　애도와 장례
　　등이 그의 마음을 차지하고
　　이에 맞는 노래를 그는 엮어 가나니.
이어서 그는 사업이나 사랑,
투쟁의 대화에 혀를 놀리고
　　머지 않아
　　이를 팽개쳐버리고
　　새로운 기쁨과 긍지로
이 꼬마 배우는 딴 역(役)을 익히며
가끔가다 그의 「변덕스런 무대」에
중풍 걸린 노인에 이르기까지
온갖 인물들을 등장시켜, 인생 마차에 싣나니.
　　마치 그의 천직(天職)은
　　끝없는 모방인 듯.

8

너의 영혼의 크기에
못 미치는 외모를 지닌 너.
최고의 철인(哲人)인 넌 아직도
너의 유산(遺產)을 지키고 있나니.
눈 먼 사람 속에 눈인 너여, 너는
귀먹고 말 못하면서도
영원한 정신이 마냥 찾아와
영원의 깊이를 헤아리는구나, ——
위대한 예언자여! 축복에 눈뜬 자여!
네게는 온갖 진리가 놓여 있다니
어둠 속에서, 무덤 같은 어둠 속에서
길을 잃고 평생 몸부림치며 찾고자 한 진리가.
네겐 영생(永生)이 대낮을 안고
노예에 군림하는 주인
재껴놓을 수 없는 실체이어니
네 존재의 절정에서 하늘로부터 태어난 자유의
힘으로 영광스런 너 작은 아이야,
넌 왜 이다지도 괴로움을 무릅쓰고
세월에 피치 못할 멍에를 씌우려 하여
너의 축복됨과 까닭없이 맞붙으려 하는가.
어언간에 너의 영혼은 세상의 짐을 메게 될 것이고
습관은 너를 짓누르리
서리처럼 무겁게, 아마 목숨처럼 깊게!

9

오 환희여! 타다 남은 재 속에서도
아직 불길은 남아 있구나
자연의 기억 속에
쏜살같이 사위어도!
지나간 세월의 생각은 내 맘 속에
불멸의 축복을 기르나니 진정
가장 축복받을 값어치가 있는 것.
환희와 자유, 어린 시절의 소박한 믿음이
붐빌 때나 차분할 때, 새로 돋아난 희망으로
이 가슴 설레이게 해서만이 아니오.——
이를 위해 내 감사와 찬미의 노래
부르는 것이 아니라
감각과 외양적인 대상에 대한
끈덕진 회의 때문에
우리에게서 떨어져 나가 사위는 것 때문에
이루어지지 않는 세상을 헤매이는
인간의 막연한 불안 때문에
그 앞에선 우리의 인성(人性)이
들통이 난 죄인처럼 벌벌 떠는 고매한 본능 때문에,
저 원초적인 애정
저 희미한 회상
그게 어떤 것이든 가리지 않고

아직도 우리 삶에서 빛의 원천이요
우리들 시야 속에 최상의 빛으로서
우리를 괴어 주고 우리들 소란한 세월을
영원한 침묵의 존재 속에서
한낱 순간으로 보이게 하는 힘이 있나니.
눈 뜬 진리는
　　영원히 멸(滅)하지 않는 것
무관심도, 미친 듯 발버둥쳐도
　　어른이나 아이도
환희의 적(敵)인 그 어떤 것도
완전히 폐(廢)하거나 파괴할 수 없어라!
이리하여 평온한 날씨의 계절 속에서
　　우리가 먼 내륙(內陸)에 있어도
우리의 영혼은 우리를 지상에 데려온
　　영생의 바다를 보게 되고
　　순간에 그 곳으로 건너가서
어린 아이들이 해변에서, 노니는 걸 볼 수 있고
　영원히 굽이치는 대해(大海)의 물결소리 들을 수
있노라.

10

그러니 노래하라, 너희 새들이여, 환희의 가락
부르고 부르렴!
그리고 어린 양들을 뛰놀게 하라
작은 북소리에 박자를 맞추듯!
우리는 마음으로 너희 무리에 끼리라.
피리 불고 뛰노는 너희들아,
가슴 속에 오늘 5월의 환희를
느끼는 너희들아!
한때 그렇게 휘황하던 빛이
내 눈에서 길이 사라진들 어떠리
그 빛나는 풀빛을, 꽃의 영광의
시간 되찾을 길 없어도
우리는 슬퍼하지 않고, 차라리
뒤에 남은 것 속에서 힘을 찾아보리.
예나 지금이나 상존하는
본원적인 공감 속에서
인간의 괴로움으로부터 솟아나는
달래는 생각 속에서
죽음을 넘나보는 신앙 속에서
관조(觀照)의 심성을 불러들이는 세월 속에서.

11

아, 샘물이여, 초원과 산과 숲들이여,
우리들 사랑의 단절을 예언치 말라.
하나 나는 내 마음 깊숙한 데서 너의 힘을 느끼나니
나는 오로지 하나의 환희를 저버리고
너희들의 보다 강한 습관의 굴레를
매고 살아가고 있을 뿐
나는 물길을 보채며 흐르는 시냇물을 사랑하나니
시냇물처럼 가볍게 걷던 내 어린
시절보다 더한 사랑이어라.
새로 태어난 무구한 빛은
　　아직도 아름답다.
일몰(日沒)에 몰려드는 구름들은
인간의 무상을 관조하는 눈매에서
수수한 빛깔로 배인다.
또 하나의 경주가 벌어졌고 또 다른 승리의 관이
씌워지고
우리들 삶을 영위하는 인정 때문에
다정과 기쁨과 두려움 때문에
피어나는 가장 하찮은 꽃도
내겐 생각을 가져다 주나니
눈물로는 벅찬 심오한 생각을.

ODE

—— *INTIMATIONS OF IMMORTALITY FROM RECOLLECTIONS OF EARLY CHILDHOOD* ——

The Child is father of the Man;
And I could wish my days to be
Bound each to each by natural piety.

I

There was a time when meadow, grove, and
stream,
The earth, and every common sight,
To me did seem
Apparelled in celestial light,
The glory and the freshness of a dream.
It is not now as it hath been of yore;——
Turn wheresoe'er I may,
By night or day,
The things which I have seen I now can see
no more.

II

The Rainbow comes and goes,
And lovely is the Rose,
The Moon doth with delight
Look round her when the heavens are bare,
Waters on a starry night
Are beautiful and fair;
The sunshine is a glorious birth;
But yet I know, where'er I go,
That there hath past away a glory from the
earth.

III

Now, while the birds thus sing a joyous song,
And while the young lambs bound
As to the tabor's sound,
To me alone there came a thought of grief:
A timely utterance gave that thought relief,
And I again am strong:
The cataracts blow their trumpets from the
steep;
No more shall grief of mine the season wrong;
I hear the Echoes through the mountains
throng,
The Winds come to me from the fields of
sleep,
And all the earth is gay;
Land and sea
Give themselves up to jollity,
And with the heart of May
Doth every Beast keep holiday;——
Thou Child of Joy,
Shout round me, let me hear thy shouts,
thou happy Shepherd-boy!

IV

Ye blessed Creatures, I have heard the call
Ye to each other make; I see
The heavens laugh with you in your jubilee;
My heart is at your festival,
My head hath its coronal,
The fulness of your bliss, I feel—I feel it all.
Oh evil day! if I were sullen
While Earth herself is adorning,
This sweet May-morning,
And the Children are culling
On every side,
In a thousand valleys far and wide,
Fresh flowers; while the sun shines warm,
And the Babe leaps up on his Mother's arm:——
I hear, I hear, with joy I hear!
——But there's a Tree, of many, one,
A single Field which I have looked upon,
Both of them speak of something that is gone:
The Pansy at my feet
Doth the same tale repeat:
Whither is fled the visionary gleam?
Where is it now, the glory and the dream?

V

Our birth is but a sleep and a forgetting:
The Soul that rises with us, our life's Star,
Hath had elsewhere its setting,
And cometh from afar:
Not in entire forgetfulness,

And not in utter nakedness,
But trailing clouds of glory do we come
From God, who is our home:
Heaven lies about us in our infancy!
Shades of the prison-house begin to close
Upon the growing Boy
But He beholds the light, and whence it flows,
He sees it in his joy;
The Youth, who daily farther from the east
Must travel, still is Nature's Priest,
And by the vision splendid
Is on his way attended;
At length the Man perceives it die away,
And fade into the light of common day.

VI

Earth fills her lap with pleasures of her own;
Yearnings she hath in her own natural kind,
And, even with something of a Mother's mind,
And no unworthy aim,
The homely Nurse doth all she can
To make her Foster-child, her Inmate Man,
Forget the glories he hath known,
And that imperial palace whence he came.

VII

Behold the Child among his new-born blisses,
A six years' Darling of a pigmy size!
See, where 'mid work of his own hand he lies,
Fretted by sallies of his mother's kisses,
With light upon him from his father's eyes!

See, at his feet, some little plan or chart,
Some fragment from his dream of human life,
Shaped by himself with newly-learned art;
A wedding or a festival,
A mourning or a funeral;
And this hath now his heart,
And unto this he frames his song:
Then will he fit his tongue
To dialogues of business, love, or strife;
But it will not be long
Ere this be thrown aside,
And with new joy and pride
The little Actor cons another part;
Filling from time to time his 'humorous stage'
With all the Persons, down to palsied Age,
That Life brings with her in her equipage;
As if his whole vocation
Were endless imitation.

VIII

Thou, whose exterior semblance doth belie
Thy Soul's immensity;
Thou best Philosopher, who yet dost keep
Thy heritage, thou Eye among the blind,
That, deaf and silent, read'st the eternal deep,
Haunted for ever by the eternal mind,——
Mighty Prophet! Seer blest!
On whom those truths do rest,
Which we are toiling all our lives to find,
In darkness lost, the darkness of the grave;
Thou, over whom thy Immortality
Broods like the Day, a Master o'er a Slave,
A Presence which is not to be put by;
To whom the grave
Is but a lonely bed without the sense or sight
Of day or the warm light,

A place of thought where we in waiting lie;
Thou little Child, yet glorious in the might
Of heaven-born freedom on thy being's height,
Why with such earnest pains dost thou provoke
The years to bring the inevitable yoke,
Thus blindly with thy blessedness at strife?
Full soon thy Soul shall have her earthly
freight,
And custom lie upon thee with a weight,
Heavy as frost, and deep almost as life!

IX

O joy! that in our embers
Is something that doth live,
That nature yet remembers
What was so fugitive!
The thought of our past years in me doth
breed
Perpetual benediction: not indeed
For that which is most worthy to be blest;
Delight and liberty, the simple creed
Of Childhood, whether busy or at rest,
With new-fledged hope still fluttering in his
breast:——
Not for these I raise
The song of thanks and praise;
But for those obstinate questionings
Of sense and outward things,
Fallings from us, vanishings;
Blank misgivings of a Creature
Moving about in worlds not realised,
High instincts before which our mortal Nature
Did tremble like a guilty Thing surprised:
But for those first affections,
Those shadowy recollections,
Which, be they what they may,
Are yet the fountain-light of all our day,
Are yet a master-light of all our seeing;
Uphold us, cherish, and have power to make
Our noisy years seem moments in the being
Of the eternal Silence: truths that wake,
To perish never:
Which neither listlessness, nor mad endeavour,
Nor Man nor Boy,
Nor all that is at enmity with joy,
Can utterly abolish or destroy!
Hence in a season of calm weather
Though inland far we be,
Our Souls have sight of that immortal sea
Which brought us hither,
Can in a moment travel thither,
And see the Children sport upon the shore,
And hear the mighty waters rolling ever more.

X

Then sing, ye Birds, sing, sing a joyous song!
And let the young Lambs bound
As to the tabor's sound!
We in thought will join your throng,
Ye that pipe and ye that play,
Ye that through your hearts to day
Feel the gladness of the May!
What though the radiance which was once so bright
Be now for ever taken from my sight,
Though nothing can bring back the hour
Of splendour in the grass, of glory in the flower;
We will grieve not, rather find
Strength in what remains behind;
In the primal sympathy
Which having been must ever be;
In the soothing thoughts that spring
Out of human suffering;
In the faith that looks through death,
In years that bring the philosophic mind.

XI

And O, ye Fountains, Meadows, Hills, and Groves,
Forebode not any severing of our loves!
Yet in my heart of hearts I feel your might;
I only have relinquished one delight
To live beneath your more habitual sway.
I love the Brooks which down their channels fret,
Even more than when I tripped lightly as they;
The innocent brightness of a new-born Day
Is lovely yet;
The Clouds that gather round the setting sun
Do take a sober colouring from an eye
That hath kept watch o'er man's mortality;
Another race hath been, and other palms are won.
Thanks to the human heart by which we live,
Thanks to its tenderness, its joys, and fears,
To me the meanest flower that blows can give
Thoughts that do often lie too deep for tears.

위대한 자연(自然)의 시인

—— 워즈워드의 시세계(詩世界) ——

김 재 현
(아주대학교 교수)

낭만주의 *(Romanticism)*는 18세기 말엽에서 19세기 초엽에 이르기까지 유럽을 휩쓸었던 문학사상의 새로운 운동이었다.

영국(英國)에서는 워즈워드 *(Wordsworth)*와 콜리지 *(Coleridge)*, 스코트 *(Scott)*, 바이런 *(Byron)*, 셸리 *(Shelley)*, 키츠 *(Keats)*, 사우디 *(Southey)*를 꼽을 수 있고 불란서(佛蘭西)에서는 루소 *(Rousseau)*, 위고 *(Hugo)*, 샤토브리앙 *(Chateaubriand)*, 그리고 독일에서는 괴테 *(Goethe)*, 쉴러 *(Schiller)*, 노발리스 *(Novalis)*, 슐레겔 *(Schlegel)* 형제 등이 이 운동의 선도자적인 몫을 했다. 이 새로운 문학운동의 태동은 사실은 불란서 혁명이 모체가 되어 빚어졌고 이 혁명의 구호인 '자유, 평등, 박애'의 이념이 문학에 이식된 것이라고 볼 수 있다. 그러니까 낭만주의는 사회 및 문학적 제반 인습과 구속에서 개인의 해방과 탈피요, 자연으로의 복귀 *(return to nature)*, 말하자면, 자발적이고 진실된 인간 본연의 생활로 되돌아가려는 운동이며 자아(自我)의 주장(主張)은 개인의 충동과 감정의 중요성을 재인식하는 노력이다.

이같은 인식은 두 가지 양상을 띄고 나타났는데 하나는 시간과 공간적으로 먼 *(remote)* 일, 환상적인 세계의 추구이고 또 하나는 평범하고 일상적인 대상에 대한 본질적인 추구에 의한 새로운 의미의 발견이었다. 즉 낯익은 일상적인 대상에서 너울을 벗겨 그 안에 숨겨진 새로운 진실을 추구하려는 노력이다.

이상의 양면성은 특히 영국의 낭만주의 운동에 있어서 콜리지 *(Coleridge)*와 워즈워드 *(Wordsworth)*를 통해 대변해서 나타났다. 이 두 시인은 당시 혁명기가 몰고 온 광란과 긴장 *(storm and stress)*을 공감하면서 한마음으로 어울리며 영국낭만주의 개화(開花)에 선도적인 역할을

했던 것이다. 특히 이들의 공저시집(共著詩集)인 「서정민요집 *(Lyrical Ballads)*」이 나온 것은 1798년이었고, 이 시집 초판에는 전원(田園)과 시골이 배경을 이룬 평범한 민요풍의 시는 물론 장엄한 자연을 예찬한 워즈워드 *(Wordsworth)*의 작품이 수록되었고 콜리지 *(Coleridge)*의 시로는 초자연적이며 환상적인 작품이 실리었다. 전자에는 〈우리는 일곱 남매 *(We are Seven)*〉, 〈틴턴사원 *(Tintern Abbey)*〉 등이고 후자에는 영문학 사상 길이 손꼽을 만한 명작인 〈노수부(老水夫)의 노래—*The Rime of the Ancient Mariner*〉를 들 수 있겠다.

그러나 영국의 낭만주의는 갑자기 터진 봇물 같은 것이 아니었고 18세기 후반에 들어서면서 그레이 *(Gray)*, 콜린스 *(Collins)*, 쿠퍼 *(Cowper)*, 번즈 *(Burns)* 및 블레이크 *(Blake)* 같은 시인들이 등장하므로써 신고전주의 *(neo-classicism)*는 급기야 쇠퇴일로를 걷게 된 것이다. 톰슨 *(Thompson*: 1700~1748*)*의 〈사계절 *(The Seasons)*〉은 1726년에 나온 작품으로 전원의 자연을 노래했고 제임스 맥퍼슨 *(James Macpherson*: 1736~1796*)*의 〈전설적 영웅담 *(Ossian)*〉은 1760년대 초에 나오기도 했다.

이상의 시인들을 모두 이른바 전기 낭만주의 시인(前期浪漫主義詩人: *pre-romantics*)이라 하는데 블레이크 *(Blake)*와 번즈 *(Burns)*를 제외하면 이들은 거의가 정도의 차이는 있을망정 신고전주의(新古典主義)의 속박에서 완전히 탈피하지 못했던 것이다. 다만 이들은 후일에 꽃필 낭만시의 가장 중요한 주제를 다루고 있었다. 즉 자연에 대한 동경과 인간과 고향에 대한 사랑, 시간과 공간적으로 먼 옛것에 대한 향수를 나타냈으며 시인 자신의 사상과 감정에 대한 정열과 죽음과 초자연적인 것에 대한 사색과 명상을 다루었다.

그러나 신고전주의에 대한 최초의 자각적인 반발은 콜리지와 워즈워드의 서정민요시집(抒情民謠詩集)의 발간으로부터 시작된 것이다. 1800년에는 이 서정민요시집의 재판(再版)이 나왔는데 여기에는 영국의 낭만주의 선언이라 할 수 있는 유명한 서문(序文)이 실려 있다. 워즈워드가 쓴 이 서문을 인용해 본다.

"그러므로 이들 시편에서 뜻하는 주요 목적은 일상생활의 제반 사건과 상황을 대상으로 삼고 가능하면 사람들이 실제로 사용하는 언어를 택해서 사건을 전개해 가고 묘사하므로, 동시에 일상적인 평범한 사물들이 평범치 않는 *(unusual)* 면모를 보일 수 있도록 상상력이란 빛깔을 가미하고, 더 나아가서, 중요한 것은 이 사건과 상황에서 가식적이 아닌 진실하게 우리의 인간성——혹은 인정(人情)……역자 첨가——의 근본적인 법칙을 추적하므로써 사건과 상황을 흥미롭게 해 주는 것이다."

지나친 양식화(樣式化)된 수식적인 시어(詩語)의 사용에 반기를 들고 자연에 대한 그의 태도, 평범하고 소박한 사건과 인물을 그의 시의 주제로 선택하겠다는 것은 사실은 그의 혁명적인 시적 업적에 있어서는 특징적이긴 하지만 이차적인 것이라 할 수 있다. 워즈워드에 있어서 시(詩)란 우선적으로 어떤 정신적인 상태 *(state of mind)*를 기록하는 일이었고 그가 중시하는 시의 가치는 시가 기록하는 정신상태의 가치 속에 있었다.

그는 서정민요집의 서문에서 시를 정의하기에 앞서 먼저 시인(詩人)을 정의한다. 시인은 어떤 사람인가. 시인이란 비범한 정서적인 활력을 지닌 사람으로서 그가 다른 인간과 세계에 관해서 갖는 지각 *(perceptions)*은 인간과 인간과의 사이에 내재하는 관계와 모든 존재의 바탕에 깔려 있는 심리적 및 도덕적 진실에 대한 직관력을 빚어내는 것이라는 것이다. 이같은 과정은 순간적으로 이루어지는 것이 아니다. 지각의 절정에서 빚어진 정서 *(emotion)*는 회상이란 여과 과정을 통해서 인간적, 보편적인 의의를, 자각을 가져오게 되는 것이다. 다시 말하자면 시인의 감각의 힘은 일반사람보다 그 정도가 높다는 것이다. 이와 같은 견해는 워즈워드가 아닌 다른 시인들은 일찍이 내세운 적이 없었다.

워즈워드는 흔히 밀턴 *(Milton)* 이후 영국의 최고의 시인으로 일컬어지고 있지만 그는 본질적으로 지적(知的)인 시인은 아니었다. 지적인 자질과 순수한 상상력의 발로에 있어서는 오히려 콜리지가 더 뛰어난 시인이었다. 워즈워드는 시를 정의(定義)하기를 '강한 감정의 자발적인 넘쳐 흐름이다. 그의 기원은 평정 속에서 회상된 정(情) 속에서 유래한다 *(Poetry is the spontaneous overflow of powerful feelings; it takes its origin from emotions recollected in tranquility)*'고 했다.

낭만주의는 로크*(Locke)*와 흄 *(Hume)*, 더 위로는 플라토 *(Plato)*와 칸트 *(Kant)*의 이상주의 철학에 그의 배경을 추적해 볼 수도 있다. 실제로 워즈워드는 영국의 호수지방 *(The Lake District)* 가까이서 콜리지와 함께 지내면서 독일 이상주의 철학에 매료되기도 했으며 호반(湖畔)의 시인의 한 사람인 로버트 사우디 *(Robert Southey)*와 함께 미대륙(美大陸)에 건너가서 팬터사크러시 *(pantisocracy)*라는 권력평등사회(權力平等社會)의 건설을 꿈꾼 적도 있었던 것이다.

그러나 후년에는 과격한 혁명사상에는 매력을 잃은 그였지만 그가 지향하는 낭만주의 시의 본질(本質)은 가장 중요한 유산으로 남아 있다고 할 수 있다. 다시 말해서 낭만주의는 개인(個人)을 인생(人生)과 모든 경험의 중심으로 보는데서 출발한다는 것이다. 그러므로 문학은 개인이 갖는 감정과 특정한 태도의 표현에 가치를 부여 받는다. 여기서 기존의 규격과 인습을 따르는 것보다 개인의 상상력과 창조적 기능이 보다 더 높이 평가되며 사실이나 논리적인 진실보다는 직관과 상상력에 보다 위대한 진리가 있다고 믿는다. 낭만주의는 자연 *(nature)* 속에 진리의 계시(啓示)를 보고 자연 상태에 가까운 어린 아이 *(child)* 속에서 인간성의 순수함과 본질을 찾게 된다. 일상적이고 단순한 소재속에서 존재의 본질과 절대적인 것, 이상적인 것을 추구하려 든다. 이러한 노력에 선도적인 역할을 맡은 시인이 바로 윌리암 워즈워드 *(William Wordsworth*:1770~1850*)*였다.

여기 선집(選集)에는 본 출판사(出版社)의 요청과 일반적인 독자를 위해서 가급적이면 장시(長詩)는 피하고 짧은 시를 담도록 애를 썼다. 그러나 〈송시(頌詩)—영생(永生)의 노래〉는 뺄 수 없었다. 번역은 우리말로 가급적 시적 분위기를 재생하는데 역점을 두었지만 원시(原詩)가 지닌 심상(心像)이나 의미를 왜곡시키지 않고자 시도했으나 얼마큼이나 만족하게 이루어졌는지는 의문이다. 독자의 질책과 아량을 바탕으로 보다 나은 후일(後日)을 기약하고 싶을 뿐이다.

세계
명시
선집

□ 옮긴이- **김 재 현**

한국외국어대학 영어과 졸업 / 미국 매사추세츠 대학(M.A.) 및 시창작(M.F.A.) / 미국 포트밸리 주립대학 영문학 조교수 / 성심여자대학·전북대학 부교수/한국 현대 시인협회 회원 / 제2차 세계시인대회 시작상(詩作賞·1973) / 한국 번역문학상 수상(1974, 1980, 1984) / 아주대학 교수(1978~현재)

▶ 시집 - 영문 : 「Detour(우회로)」, 「A Pigsty Happiness(돼지우리의 행복)」, - 국문 : 「토양의 반항」 / 「부생(浮生)」 / 「도시의 무지개」 외 다수.

▶ 역서(譯書) - 영역 : 「Azaleas」(김소월 시집) / 「The Immortal Voice」(한국 현대시 400편) / 「The Silence of Love」(한용운의 「님의 침묵」) 외 다수. - 국역 : 에밀리 디킨슨 시선집 / 「보이지 않는 인간」(엘리슨) / 어빙 레이턴 시선집 외 다수.

세계명시선집 〈4〉 **워즈워드**

혁신 초판 발행 2021년 5월 31일
옮 긴 이 김 재 현
펴 낸 이 최 석 로
펴 낸 곳 서 문 당
주 소 경기도 고양시 일산 서구 덕산로 99번길 85
우편번호 10204
전 화 031-923-8288
팩 스 031-923-8259
창립일자 1968년 12월 24일
창업등록 1968.12.26 No.가2367
출판등록 제 406-313-2001-000005호
ISBN 978-79-8243-813-7
초판 발행 1991년 11월 20일
* 파본은 바꾸어드립니다.